Flamingos en San Juan
Flamingos in Manhattan

Para mi querida Silvianna
por los momentos compartidos

María Arrillaga

Espero disfrutes la lectura
tanto como yo la escritura.

Flamingos en San Juan
Flamingos in Manhattan

Recibe un fuerte abrazo,
María Arrillaga

2012

Ediciones Puerto
2012

Flamingos en San Juan / Flamingos in Manhattan, 2012

© María Arrillaga

© Ediciones Puerto, Inc.
   P.O. Box 9090
   San Juan, Puerto Rico, 00908
   Teléfono: 787-721-0844
   Fax: 787-725-0861
   e-mail: edicionespuerto@gmail.com
   www.edicionespuerto.com

Editor: José Carvajal

Diagramación y diseño:
   Taller de Ediciones Puerto

ISBN: 978-1-61790-008-2

Índice
Contents

Naturaleza y urbe
Nature and the City

Amistades
Friends

Madres e hijas
Mothers and Daughters

Vil seductor
Vile Seducer

Otras seducciones
Other Seductions

Sangre
Blood

FLAMINGOS EN SAN JUAN
PREFACIO

¿Por qué escogí el nombre *Flamingo* para mi libro?

Tengo 11 años. Vivo en Mayagüez, Puerto Rico. Mi padre es Dagoberto Arrillaga. Proviene de una familia de poetas y escritores, entre ellos Rafael Arrillaga Torréns y Francisco Arrillaga. Mi primo, José Raoul Gaztambide, escribió una breve historia donde lleva la línea familiar hasta el ilustre poeta español Francisco de Quevedo y Villegas (1580-1645). Mi madre es Noemí García Arcelay. Son sus padres Josefina Arcelay de la Rosa y Oscar García, hermano de Isidoro García, renombrado jugador de béisbol que le da el nombre a nuestro parque de pelota.

Mi padre murió cuando yo tenía 11 años y mi mamá tuvo que trabajar duro para mantenerme a mí y a mi hermano, Dagoberto Arrillaga II. Parte de su lucha se relaciona al título del libro, *Flamingo.*

Mami visitaba a menudo a sus primas Olga, Viola, Raquel, Silvia y Elsa. Eran hijas de Rafael Arcelay de la Rosa, mi tío abuelo, quien se había establecido en San Juan. Empresario de mucho éxito, fue dueño fundador de la primera línea de autobuses en la Isla. *The White Star Bus Line,* con terminal en la Parada 27, se inauguró en julio de 1923 y llegó a tener más de un centenar de vehículos "cubriendo hasta donde el tren no llega", se decía. Tío Rafael empleaba músicos y peloteros como choferes. Rafael Muñoz y Tito Henríquez, compañero de la cantante Ruth Fernández, fueron parte de la compañía. En su libro, *Los Ángeles de Arcelay*, Don Carlos Vigoreaux Pérez ofrece una valiosa narrativa de esta época de nuestra historia. Un dato interesante, *The White Star* tuvo su origen en una afamada línea de trasatlánticos que contaba entre ellos el desafortunado *Titanic*.

Todas las hermanas eran hermosas. Raquel apareció entre las mujeres mejores vestidas de San Juan, especial que cada año aparecía en el periódico *The San Juan Star*. Olga fue la mamá de Raúl Juliá, qepd, actor de teatro y cine. Raulito y yo llegamos más o menos a un mismo tiempo a Nueva York. Yo corría en mi bicicleta desde el West Village para verlo en obras de teatro al aire libre en Tompkin's Square Park. Lo recuerdo en el papel estelar del clásico *La carreta* de René Marqués.

Elsa Arcelay era la prima más cercana a mi madre y su relación influiría en nuestras vidas. Tenía en Santurce un elegante negocio de antigüedades y objetos de arte llamado *Flamingo Shop*.

Luego de la muerte de mi padre, mi mamá, quien trabajaba como química en La Estación Experimental del Departamento de Agricultura Federal en Mayagüez, estaba lista para un cambio. Elsa le sugirió que abriera una sucursal de *Flamingo* en nuestro pueblo. Poco tiempo después, *Flamingo Shoppe* retoñó en La Calle McKinley, frente a los *Almacenes de Julio Vidal*, una tienda por departamentos, pequeña y de buen gusto. Ambos negocios estaban a pasos del Teatro Yagüez, todavía en funciones. *Flamingo* era exquisito. Exclusivo y con mucha clase, atraía la Alta Sociedad mayagüezana. Innovador, tuvo el primer letrero de neón en el pueblo, un enorme y colorido flamingo. Tenía además, una acogedora salita donde mi madre compartía con los clientes y donde conocería a su futuro esposo, Ernesto Martínez Nadal. De familia acomodada, Ernesto era un apuesto profesor en lo que es hoy día el RUM (Recinto Universitario de Mayagüez). Refugiado de la Guerra Civil Española, había sido parte del círculo de amistades de Federico García Lorca. Federico le había entregado a su hermano, Rafael Martínez Nadal, el manuscrito inédito de *El público*, una obra de teatro homoerótica, antes de abordar el tren que lo llevaría a Granada y al encuentro con su muerte.

Mi madre y Ernesto partieron hacia Europa en viaje de luna de miel y yo permanecí en Mayagüez bajo la tutela de mi tía abuela, María Luisa Arcelay. Tuve suerte. María Luisa Arcelay fue mujer de mucho mérito. Líder obrera, feminista, pionera en la industria de la aguja, el compositor Mon Rivera le dedicó una plena: "Aló, ¿quién llama?". Llegaría a ser, además, primera mujer legisladora en Latinoamérica, elegida a la Cámara de Representantes de Puerto Rico en 1932 y 1936.

Durante su viaje a Europa, mami obtuvo un doctorado en química en la Universidad La Sorbonne en Paris, con una tesis sobre aceites esenciales. A su regreso a Puerto Rico inspiraría estudiantes en su puesto como directora de los laboratorios de química orgánica en el Recinto Universitario de Mayagüez.

Somos patriotas. Los puertorriqueños, no obstante, hemos estado vinculados a la cultura y lengua norteamericanas aún desde antes de la invasión y cesión de la Isla a los Estados Unidos como resultado de La Guerra Hispanoamericana en el 1898. Las hermosas confecciones que elaboraban mujeres puertorriqueñas en sus hogares y en los talleres de mi tía abuela, María Luisa Arcelay, iban a parar a los Estados Unidos.

Mi tía quiso que, al igual que mi madre, quien se graduó del College of New Rochelle en Nueva York, yo tuviera una educación que incluyera el aprendizaje del inglés. Fue así que me envió a estudiar a Stratford Hall en Danville Virginia, para mi cuarto año

13

de Escuela Superior, a la Universidad de San Luis, de padres jesuitas, para mi Bachillerato y luego mi Maestría en la Universidad de Nueva York. Tuve experiencias ricas tanto en Virginia como en San Luis, ciudad franco-alemana atractiva e interesante la cual atesoro. Sin embargo, fue de Nueva York que me enamoré. El enamoramiento ha sido desde siempre, cuando llegué allí en el 1961, casada con un chico oriundo de Brooklyn. El matrimonio duró sólo cinco años pero mi amor por la ciudad perduró. Por alguna razón, los flamingos son muy populares y visibles en Greenwich Village donde vivo cuando estoy en Nueva York. Durante los veranos a menudo te observan desde sus atalayas en las escaleras de escape para fuegos. Quizás haya un código secreto, alguna clave para ello. Desconozco. Los flamingos de Manhattan siempre me recuerdan mis años mozos cuando jangueaba por la tienda *Flamingo* de mi madre y admiraba su vistoso letrero de neón.

Regresé a la Isla en 1971 y trabajé como profesora de lengua y literatura españolas en la Facultad de Estudios Generales de la Universidad de Puerto Rico en Río Piedras. Obtuve un doctorado en Estudios Hispánicos en 1987. Escribí libros de narrativa, poesía, crítica literaria y estudios del género.

Me jubilé de la Universidad en 2001. Ahora divido mi tiempo entre mis dos ciudades, San Juan y Nueva York.

He escrito en ambas lenguas desde los Años Sesenta en Nueva York durante esa increíble época esplendorosa cuando nosotros, los "Flower Children", florecimos, creamos y vivimos tan intensamente como es posible imaginar. Para esta colección: *Flamingos en San Juan/Flamingos in Manhattan*, decidí que yo misma haría ambas versiones de los poemas. Además de trasuntos de mis dos ciudades, cobija a Woodstock, el pueblecito donde viví por varios años, durante los Años Sesenta y también recientemente, durante este nuevo milenio, cuando quise reanudar contacto con raíces de mi pasado. De manera que este poemario contiene tres lugares como parte de su geografía: San Juan, Manhattan, y Woodstock, New York.

Dedico este libro a mi sobrina, Pauline Anita Arrillaga Legg, mi querida Lois Lane, reportera de Prensa Asociada quien ha mantenido la tradición familiar de la escritura.

Mis libros son mis hijos. ¡Cuánto amo mis libros! Ahora mismo, éste es mi favorito.

Espero disfrutes su lectura.

María Arrillaga
San Juan, Puerto Rico
19 de marzo de 2010

FLAMINGOS IN MANHATTAN
PREFACE

Why is my book called *Flamingo*?

I am 11 years old. I live in Mayagüez, Puerto Rico. My father is Dagoberto Arrillaga. He comes from a family of poets and writers, among them, Rafael Arrillaga Torréns and Francisco Arrillaga. My cousin, José Raoul Gaztambide, published a brief history in which he traces the family line as far back as the illustrious Spanish poet, Francisco de Quevedo y Villegas (1580-1645). My mother is Noemí García Arcelay. Her parents are Josefina Arcelay de la Rosa and Oscar García, brother of Isidoro García, a well known baseball player after whom our ball park is named.

My father died when I was 11 years old and my mother had to work hard to support me and my brother, Dagoberto Arrillaga II. Part of her struggle is linked to *Flamingo*, the title of the book.

She often visited her cousins: Olga, Viola, Raquel, Silvia and Elsa. Their father, my great uncle, Rafael Arcelay de la Rosa, was a very successful and highly esteemed entrepreneur who had settled in San Juan, where he founded and owned the first bus company on the Island, *The White Star Bus Line*. Its depot on Stop 27 in Santurce was dedicated in 1923. With a fleet of over a hundred it was said to cover "more territory than the train could reach." Rafael Arcelay employed baseball players and musicians as chauffeurs; among them, Rafael Muñoz and Tito Henríquez, who married the singer Ruth Fernández. Don Carlos Vigoreaux Pérez offers an interesting account of this epoch in his book *Los ángeles de Arcelay/The Angels of Arcelay*. An interesting aside, the name *The White Star* had its origin in the famed transatlantic company that included the ill-fated *Titanic*.

All of the sisters were lovely. Raquel appeared in *The San Juan Star*'s annual best dressed women feature. Olga was the mother of Raúl Juliá, the late stage and movie actor. Raulito and I arrived in New York around the same time. I used to ride my bicycle from the West Village to Tompkins's Square Park to see him act. I remember him playing the leading role in *The Oxcart*, René Marqués' classic.

It was Elsa who was closest to my mother and who would play a definitive role in our lives. She ran a well appointed business in Santurce called *Flamingo Shop* where antiques and objets d'art were sold.

After my father's death, my mother became weary of her job as a chemist, at the Federal Experimental Station of the Department of Agriculture in Mayagüez. When it became clear she was ready for a change, Elsa suggested she open a branch of *Flamingo* in our town. In no time *Flamingo Shoppe* sprouted on McKinley St. in front of the *Almacenes de Julio Vidal*, a small, tasteful department store; both stores were steps away from the still standing Yagüez Theater. *Flamingo* was exquisite. Exclusive and high class, it catered to the High Society of Mayagüez. Innovative, it had the first neon sign in our town, a huge, colorful flamingo. It also had an inviting sitting area where my mother entertained clients and where she would eventually meet her future husband, Ernesto Martínez Nadal. Ernesto was a well to do, handsome professor, a Spanish expatriate who had been part of Federico García Lorca's circle prior to the Spanish Civil War. Federico had given Ernesto's brother, Rafael Martínez Nadal, the original manuscript of *El público/The*

Public, his unedited homoerotic play, before he boarded the train to Granada where he would meet his death.

My mother and Ernesto went on an extended honeymoon to Europe and I remained in Mayagüez, in the care of my great aunt, María Luisa Arcelay. How lucky I was. María Luisa Arcelay was quite an accomplished woman. A labor leader and feminist, pioneer in the needlework industry, Mon Rivera, a popular Puerto Rican composer, dedicated a "plena" to her: *Aló, quién llama?/Hello, Who Is Calling?* My great aunt became the first woman legislator in Latin America when she was elected to the Puerto Rico House of Representatives in 1932. She was re-elected in 1936.

During her "honeymoon," my mother earned a Doctorate from La Sorbonne University in Paris with a thesis about essential oils. After returning to Puerto Rico, she went on to inspire students as director of the Organic Chemistry laboratories at the University of Puerto Rico, Mayagüez campus.

We are patriots. Nevertheless, we have been in touch with North American language and culture, even before the 1898 Spanish American War when we became a territory of the United States. The impeccable handiwork produced by Puerto Rican women at home and in my great aunt's factory was exported to the States.

María Luisa Arcelay wanted me to get an English-speaking education, just like my mother who had graduated from the College of New Rochelle in New Rochelle, New York. And so it was. I finished my senior year in Stratford Hall, Danville, Va., went on to College at the Jesuit St. Louis University and eventually finished my MA at New York University. I had wonderful experiences in Virginia and, especially, in St. Louis, Mo., an exciting, enticing, German-French City. It was, however, Manhattan that I absolutely fell in love with. I arrived in 1961, married to a young man from Brooklyn. My marriage lasted five years; my love for the city endured. For some reason, "flamingos" are popular and visible in Greenwich Village where I live when I'm in New York. In the summer they oftentimes peer at you from their perches on fire escapes. Maybe there is a secret code, a clue somewhere. I don't really know. New York flamingos always remind me of my childhood when I used to hang out in my mother's store in Mayagüez, Puerto Rico, and admire the luminous neon sign.

I returned to the Island in 1971 and became a Spanish professor at the University of Puerto Rico, School of General Studies. I earned a Ph.D. in Hispanic Studies in 1987. I also wrote books of fiction, poetry, literary criticism and gender studies.

I retired from the University in 2001 and now I divide my time between my two cities: San Juan and New York

I have written both in Spanish and English since I was in New York in the Sixties, during that incredible creative epoch when we, the "Flower Children," flourished, created and lived as intensely as one can possibly imagine. For this collection, *Flamingos en San Juan/Flamingos in Manhattan*, I decided that I would do both versions of the poems. In addition to traces of my two cities, it also takes some inspiration from Woodstock, the charming hamlet where I lived for extended periods of time during the Sixties as well as in this new Millennium when I touched base with past roots. The poems encompass, therefore, the geography of three places.

I dedicate this work to my niece, Pauline Anita Arrillaga Legg, my dear Lois Lane, reporter for Associated Press, who has kept up the family tradition of writers.

My books are my children. How I love my books! Right now, this is my favorite.

Enjoy!

María Arrillaga
San Juan, Puerto Rico
March 15, 2010

SUEÑOS Y DESEOS
DREAMS AND DESIRES

CAMBIOS

Esta vez
Me despisté de veras
Mis libros están regados
Mis amistades también

Regresé al sueño
Y otras vidas comenzaron a desaparecer
Escapada, maltratada, quería refugio
Quería que él me recogiera
Quería volver a mi pasado

Peonías guardaban la entrada en nuestra casa en el campo
Una norme montaña triangular la velaba desde el otro lado
del camino
El cargado aroma de las lilas en primavera inducía vértigo
Atolondrada me paseaba rodeada del pútrido aroma de
muñones de árboles cortados o caídos en el viejo camino
desde donde llevaban los troncos al aserradero

¿Cuál fue el sueño?

Mi amor habita una pocilga
Donde una vez compartimos el espacio de nuestro joven
sueño.

Changes

This time
I really lost my bearings
My books are scattered
So are my friends

I came back to the dream
And previous lives began to disappear
Runaway, battered, I wanted refuge
I wanted him to take me in
I wanted to return to my past

Peonies guarded the entrance to our house in the country
A huge triangular mountain kept watch across the way
The heavy scent of lilacs in the Spring induced vertigo
I meandered half mad in the old logging road surrounded
by the putrid smell of rotting stumps and fallen trees

What was the dream?

My love dwells in a hovel
Where once upon a time we shared the space of our young
dream.

NÓMADA

Te agradezco
A pesar de mi equivocado deseo
De convertirme en mujer honrada
Tú no me desechaste
Idiota que yo era
Fui yo quien te dejé

Donde vives
Las hojas están cambiando
Escapo las palmeras donde vivo
Para ver si te puedo encontrar
En secreto me escondo cobijada por los colores de otoño
Y a través de los árboles te espero

¡Quiero de nuevo la vida que vivimos!
Imploro
Deseo
Mientras paso a paso reflexiono
Qué pasa si tú irremediablemente te has desposado
Mientras yo permanezco sin casa en el bosque
Nómada absoluta.

Nomad

I thank you
In spite of my misguided desire
To become an honest woman
You did not cast me away
Fool that I was
It was I who left you

Where you live
The leaves are turning
I flee the palm trees where I live
To see if I can find you
Secretly I hide sheltered by the colors of Autumn
And through the trees I wait for you

I want our life together back!
I plead
I wish
While step by step I ponder
What if you have irretrievably mated
While I remain homeless in the forest
A nomad absolute.

A Beverly

Beverly está contenta
Porque limpié su espejo
Brilla sin mancha, como la más deslumbrante estrella de la
mañana
Los árboles que rodean la casa abundan reflejados en su cara
(la del espejo)
Es también una piscina que benévola refleja mi aspecto

Azul, verde claro candelabro de cristal
Tallos enhiestos
Al unísono danzan
Acompañan
El espectro de las rosas aromáticas

Celebran la presencia de Beverly
En esta su casa
Que por una vuelta del destino
Puesta en orden de cosas pasadas
Ahora es mi casa

Mis zuecos de madera
Los inteligentes zuecos de la memoria
Me devolvieron
A esta foresta de mi luminiscente juventud
La luz sin mancha
De tempranos sueños.

To Beverly

Beverly is happy
Because I cleaned her mirror
As the brightest morning star, flawless it shines
The trees around the house abound reflected in its face
(the mirror)
It is also a benevolent pool for my reflection

Blue, light green glass candelabra
Upright stems
Dance in unison
To accompany
The specter of aromatic roses

They celebrate Beverly's presence
In this her house
That by a twist of fate
Reckoning of things past
Is now my house

My wooden clogs
Intelligent clogs of memory
Brought me back
To this the forest of my luminescent youth
The untarnished light
Of early dreams.

DORMIR

Quiero evadir el daño
No quiero acostarme con el miedo

Echo de menos una casa de madera frente al mar
Donde descansa el tiempo antes de la traición
Tantas mujeres corren de un lado a otro amenazantes

Y los hombres...
Bueno, aquí está:

Hubo una vez, cuando un amante me robó mis joyas
Sortijas, cadenas de oro, pantallas dormilonas de diamante
y un brazalete con un gran medallón de oro, efigie de la
Virgen de Guadalupe
Pero me introdujo a quebradas en los montes
Cascadas rodeadas de forestas y helechos gigantes
Dormíamos a la intemperie acariciados por las hojas
profusas y sedosas de las grandes y opulentas matas de
plátano
El aire preñado del aroma de naranjos florecidos era
paradisíaco

Ahora quiero
Dormir
Soñar
Que estoy a salvo, en casa.

Sleep

I wish to fly away from harm
I do not wish to lay with fear

I long for a wooden house near the sea
Where the time before betrayal stands still
So many women ride back and forth menacing

And men…
Well, here it is:

Once upon a time, a lover stole my jewelry
Rings, gold chains, stud diamond earrings and a bracelet
with a grand gold medallion engraved with the image of La
Virgen de Guadalupe
But he introduced me to mountain streams
Cascades bordered by forests of gigantic ferns
We slept outdoors caressed by the profuse and silky leaves
of the grand and opulent plantain trees
The air pregnant with the scent of orange blossoms was
paradise, indeed

Now I want
To fall asleep
Dream
That I am home, safe.

La niña mala

Me pinché el dedo con la aguja
Mientras cosía un botón en el abrigo

Desamparada, huérfana, loca

¿Quién soy?
¿Cuán construida?
¿Cómo encontrar un camino que pueda seguir?

Acordes
Demasiado pálido está el cielo
El agua en calma
A veces pasa un barco
Aeroplanos también

¿Hacia dónde va la lucha con lo que nos pasa?

II

Su imagen en el espejo es fiera
Leona, pantera, mujer en celo
Su flor de loto abre
Ardiente
Vehemente
Profundísimamente adentro
Un prístino manantial invita
Espera

Una entreceja con surcos es muestra de su energía
Párpados cansados, caídos, enmarcan ardientes lágrimas
Los labios apretados forman un incitante corazón
Inusitadamente oscuro negro/azul

Ella que fue una vez virgen angelical
Es ahora orgullosa y formidable Niña Mala

Mientras, la memoria como una Reina articula
Que piezas frágiles
Tales como pedazos de cielo rezumando diamantes
Permanecen insistentemente parte de su casa.

BAD GIRL

I pricked my finger with a needle
While sewing a button on my coat

Forlorn, orphaned, mad

Who am I?
How programmed?
How can I find a way to myself?

Chords
A very dim sky
The water, calm
Occasional ships
Airplanes

Where does the struggle with our occurrences go?

II

Her image on the mirror fierce it is
She is a lioness, a panther, a woman in heat
Her Lotus flower blossoms
Awesomely eager
Vehement
Deep inside
A pristine well beckons
Waits

A furrowed brow shows up her energy
Tired eyelids, drooping, frame ardent tears
Tight lips take the form of an enticing heart
Out of sight dark blue/black

She who once was an Angelic Maiden
Has become a proud, formidable Bad Girl

Meanwhile Queen Memory articulates
That fragile pieces
Such as pieces of heaven littered with diamonds
Obstinately remain part of her home.

Enamorada de Errol Flynn (en su papel de Robin Hood – 1938)

Su sonrisa fresca
Como el arroyo sobre el cual galopa veloz
Inunda la niña
Viste ceñida chaqueta verde combinada con un sombrero de
cacería que con leve inclinación lleva con desenfado
Una pluma gallarda colores marrón y amarillo lo adorna con alegría
Sus tensas caderas lucen apretadas en calzas del mismo color de la piel
Cubren sus pies botas de cuero crudo, de buena calidad artesanal
Vigorosa expresión de su empeño, su mano derecha sostiene una
espada desenvainada lista para el combate
El ritmo galante de su bien formado cuerpo le da un vuelco al
corazón de la niña quien murmura:"Quiero ser la Lady Marian,
¡qué mucho deseo ser ella!"

Más adelante en su vida
Monta caballos
Vaga por bosques enmarañados y espesos
Se enfrenta osada a muestras siniestras del mal
Encuentra personas malvadas; toda suerte de situaciones
peligrosas, diversamente difícil de manejar aparecen en su camino
Sus victorias crecen valientes, audaces
Libre finalmente de la más odiosa instancia de acontecimiento
humano, el miedo, sin trabas murmulla:
"Robin, soy Robin"

Es adulta ahora
"El más querido bandido de todos los tiempos", lee el afiche de la
película que engalana la entrada de su casa brindando un toque de
regocijo a lo que ha sido en realidad una vida bastante complicada

Y es así que se dice a sí misma:"Almas afines, real o imaginadas,
resultan las mejores compañeras posibles".

In Love With Errol Flynn (as Robin Hood – 1938)

His cool smile
Fresh as the stream over which he blithely gallops
Overwhelms the girl
He wears a tight fitting green riding jacket that matches a
hunting hat which he nonchalantly wears slightly off kilter
A rakish brown and yellow feather provides a happy adornment
Taut, his thighs are enclosed in leggings the color of his skin
Well crafted, raw leather boots cover his feet
Vigorous, a sign of his determination, his right hand holds an
unsheathed sword ready for battle
The gallant rhythm of his well shaped body makes the girl's heart
go kaput and she murmurs: "I want to be the Lady Marian, how
much do I wish to be her!"

Later on in life
She rides horses
Wanders through thick and tangled woods
Faces with strength sinister instances of evil
She runs across wicked people; manifold, dangerous, variously
difficult and hard to handle occurrences appear in her path
Her victories grow valiant, audacious
Finally, free of that most loathsome of human events called fear,
unencumbered she whispers:
"Robin, I am Robin"

She is a grown up now
"The Best Loved Bandit of all Time," reads the poster of the
movie that graces the entrance to her house giving a touch of
mirth to what has been indeed quite a complicated life

And so she says to herself: "Kindred souls, real or imagined, make
the best kind of companions."

Ozymandias
A José Ferrer

Después de ver "Cyrano", la película, me acosté a dormir
Me encontré con él en sueños
No con la nariz larga y fea que le mereció el codiciado galardón
del "Oscar"
Sino con la belleza de un hombre completamente vestido de
blanco
Acabado de afeitar, buen recorte de pelo
Perfectamente acicalado estaba
Vestía
Traje, camisa y corbata, calcetines y zapatos
Todo del más puro blanco
Lo rodeaba el aura de hombres de valía
Desde la percepción de mis recuerdos en inesperados encuentros
Tales como con JFK, quien me pasó por el lado en el aeropuerto
de San Juan dejándome arrobada con su atractiva y vigorosa
presencia
Cassius Clay, con quien intercambié palabras pletóricas, intensas
en el Centro de la Facultad de la Universidad de Puerto Rico
donde era entonces profesora de literatura
Y con Eugène Boch, el poeta belga quien vive todavía en el
retrato que pintó Van Gogh, con aureola de chispeantes estrellitas
como telón de fondo

Cyrano se paseaba con ganas por una apretada, pequeñísima
librería

OZYMANDIAS
TO JOSÉ FERRER

After viewing "Cyrano," the movie, I went to sleep
I ran into him in my dreams
Not with the elongated ugly nose that earned him the coveted
"Oscar"
But with the beauty of a man totally dressed in white
Freshly shaven, neat, fashionable haircut
Perfectly groomed
He wore
A suit, shirt and tie, shoes and socks
Everything pure white
Around him one could sense the aura of deserving men
From the perception of my recall in chance meetings
Such as when JFK passed near me at the San Juan Airport and left
me numb with his attractive and vigorous presence
Cassius Clay, with whom I exchanged plethoric, intense words at
the Faculty Club of the University of Puerto Rico where I was at
that time professor of literature
And Eugène Boch, the Belgian poet who remains alive in the
portrait painted by Van Gogh, with a halo of twinkling little stars
as background

Cyrano earnestly meandered through a tightly packed tiny
bookstore

En su vieja ciudad caribeña, sabrosa y elegante
Deleitosamente disfrutaba portadas, acariciaba títulos
Actor impecable, resplandecía su talento en movimientos y
manerismos comparables a las cautivantes palabras que a Roxanne
le dirigió en el film

Días después miré embelesada su imagen esculpida
magistralmente, reflejando esa difícil transición entre la niñez y la
juventud
Parte de un atractivo grupo escultural al frente del panteón
de la familia en el más celebrado cementerio de la Isla, Santa
Magdalena de Pazzis
Aquí descansan personas meritorias arrulladas por el mar abierto
a un lado mientras, por otro, el famosamente infame arrabal,
privilegiado en su entorno pintoresco así como en su nombre:
"La Perla", da fe, especie de himno triunfal, del sentido de humor
inusitadamente único de los habitantes

¡Ahí está!
Nada menos que la inmortalidad
Cine, escultura, la memoria guarda la personalidad de una
genuina estrella en el escenario del gran teatro del mundo

Algunos años después, regresé anticipando la permanencia de
aquello que había considerado un cuadro imborrable, sin precio
Encontré en cambio toda suerte de partes corpóreas: brazos,
manos, piernas, troncos, cabezas desnucadas; las esculturas,
tristemente desbaratadas, yacían regadas por el lugar

Mi imbécil deseo se convirtió en abono para estos restos tan
ardientemente deseados
¡Ay vándalos del Caribe, cómo se han atrevido!
"Ozymandias" se repite, me dije
"¡Contemplen mi obra, poderosos, desesperen!"

In his elegant, delicious old Caribbean town
He feasted on covers, caressed odd titles
Impeccable actor, his talent glowed in the way he moved, the way
he carried himself, such as the engaging words that to Roxanne
he spoke in the film

Some time later I gazed enraptured at his sculpted image
masterfully reflecting that very hard to come by transition
between child or youth
Part of a handsome group sculpture adorning the family
pantheon in the Island's most celebrated cemetery, Santa
Magdalena de Pazzis
Here the worthy rest lulled by the open sea on one side, while on
another the famously infamous slum, privileged by its picturesque
site and name: "La Perla" , "The Pearl," remains a paean to the
inhabitants' unique sense of mirth

There it is!
Immortality no less
Movies, sculpture, memory guard the personality of a genuine
star in the great stage that is the world

A few years later I came back anticipating the permanence of
what I thought a priceless, indelible portrait
I found instead all sorts of body parts: arms, hands, legs, torsos,
decapitated heads; the sculptures, sadly torn asunder, laid strewn
all over the ground

My imbecile desire became humus for the ardently desired
remains
Oh vandals of the Caribbean, how dare you!
"Ozymandias" lives once more, I said to myself
"Look on my works, ye mighty, and despair!"

37

De nuevo me dormí
Esta vez Derek Walcott apareció en mis sueños
Sus ojos extraordinariamente azules, enmarcados por su piel
oscura y salada, navegaron hacia mí, así como sus palabras del
poema "Omeros:" "Canté nuestro ancho país, el mar Caribe",
consolándome al punto de poder dejar la conocida desesperación
de los viajeros para comenzar nuevas empresas

Esta noche desperté con Bob Dylan a mi lado
Ni malhumurado ni distante estaba
Me hizo el amor
Con sapiencia, con pasión
A mí su mujer de las Islas

A veces una fantasía puede sanar
A veces una fantasía puede mantenerte intacto
A veces una fantasía se parece tanto a la realidad
A veces un sueño es la verdad

Ayer visité "Los comedores de patatas"
La luz de una humilde lámpara de kerosene ofrecía homenaje a la
lucha por la vida
Mientras apropriadamente iluminaba las caras arrugadas y toscas,
las manos rudas por el exceso de trabajo y el mísero sustento
ganado con tanta dificultad
Todo el maravilloso resplandor ocre, oro y marrón me fortaleció
al punto de sentir
Que no hay necesidad the entrar en cólera contra la muerte de la luz.

I fell asleep again
This time Derek Walcott appeared in my dreams
Extraordinary deep blue eyes, framed by his salty, dark skin, sailed
forth as did his words from "Omeros:" "I sang our wide country,
the Caribbean Sea," comforting me to the point I was ready
to leave the familiar despair of the voyager behind in order to
embark on new ventures

Tonight I awoke with Bob Dylan in my bed
Neither cranky nor aloof
Experienced and passionate
He made love to me
His lady of the Islands

Sometimes a fantasy can heal
Sometimes a fantasy can make you whole
Sometimes a fantasy is so like reality
Sometimes a dream is true

Yesterday I visited "The Potato Eaters"
The light of a humble kerosene lamp paid homage to the struggle
for life
While it fitfully illuminated the coarse, wrinkled faces, the
hands made rough by excess labor and the hard earned pitiful
sustenance
The splendid shine of ochres, gold and browns strengthened me
to the point that I felt
There is no need to rage against the dying of the light.

LIBERTAD
FREEDOM

ANÉMONA DE AGUA

En obsequio para la aventura inefable de la vida
Besa
De los personajes el más arrogante:
Culpabilidad
En los labios
Fuerte, bien fuerte
Muestra de tu separación inminente

Riega besos por su cara
Con tus labios húmedos estilizadísimos
Pintados de rojo
Con lápiz labial que no se corra en su sitio
Continúa hacia el majestuoso cuello
Adórnalo con pequeños y delicados mordiscos
Deletreando adioses

Vete
Imagina
Que la culpabilidad se enguye ahora
De gusanos temblorosos
Sobre frutas pútridas, espectrales, de otros mundos

Descálzate
Remoja tus pies en agua destilada de rosas frescas
Acaricia cada dedo
Como tocando la piel de un bebé cuya madre amas
deliriosamente
Palpa alrededor de tus uñas
Son gemas
Dile a cada una que la aprecias
Y en celebración
Refresca el esmalte hasta hacerlo relucir
Como el oro con el cual soñó el Rey Midas
Te luce el oro
Como anémona de agua flotas
Como las vírgenes que azuzan el fuego
Lista
Para la próxima aventura dichosa.

WATER ANEMONE

As a gift for the ineffable adventure of being
Kiss
That most arrogant of characters:
Guilt
On the lips
Hard, very hard
A token of your imminent separation

Spread the kisses around the face
Your lips moist in highest style
Paint them red
With a lipstick that stays put and does not run
Move on to the stately neck
Adorn it with tiny, dainty bites
Spelling farewell

Walk away
Imagine
Guilt now feasts
With wiggly worms
On putrid, alien, ghastly fruits

Bare your feet
Soak them in water distilled from fresh roses
Caress each toe
Like touching the skin of a baby whose mother you
deliriously love
Feel around the outline of your nails
Like gems
Tell each one you cherish it
In celebration of your appreciation
Freshen the polish until it glistens
Like the hue that King Midas envisioned
Gold becomes you
As a water anemone you float
Like the virgins that kindle the fire
Ready
For the next blissful adventure.

HILOS

Se desprendió un botón de mi chaqueta
Los hilos en el costurero estaban enredados
Debajo del desorden yacía un botón gemelo
Aguardando su lugar
Para arreglar las cosas

Los hilos le hicieron señas a las manos
Los colores guiñaron agrupándose
Un flamingo rosado cargó en su pico
Hilos lo suficientemente humildes como para restaurar el
orden

Y así la mano escogió el color que combinaba
Para de ahí recortar el largo necesario
Para volver a asegurar la tela
En contacto con la aguja, el hilo y el botón cosido.

THREADS

A button on my blazer snapped
The sewing box contained the threads all tangled up
Underneath, a matching button laid
In wait for an appropriate time
To make things right again

The threads beckoned to the hands
The colors looking to assemble winked
A pink flamingo carried on its beak
Threads humble enough to set the order straight

And so the hand chose the matching color
In order to nip the necessary length
To make the cloth secure once more
In touch with needle, thread and button stitched.

NAVEGANDO

Nada amenazante llegó hoy en el correo
Introspección es regalo
El miedo es en-fermedad

En una visión
De aguas tranquilas
Barcos navegan en calma
Los mástiles fuertes, como canciones antiguas,
Enmarcan el tejido arrebatador de las velas

A través de la red de una seductora tela
Una cara de mujer atrae
Gaviotas en vuelo adoloridamente desean
Irse a veranear entre gárgolas fieras
En maderas nobles labradas

En el río atónitas
Tonalidades sonrojadas dan forma al idilio
De un monstruo de antaño restaurado.

SAILING

Nothing menacing came in the mail today
Introspection a gift
Fear a dis-ease

In a vision
Of water unperturbed
Ships glide at ease
Masts strong, as ancient songs,
Frame the ravishing texture of sails

Through the net of a fabric, alluring
A woman's face entices
Cranes in flight ache
To sojourn among fierce gargoyles
Carved in noble woods

On the river mesmerized
Blushing hues shape the idyll
Of a bygone monster refurbished.

EL ROMANCE DE LA CAMA

¿Cómo se convierte en persona una mitad?

Un enjambre de hacendosas abejas
Toman posesión de la cama

Surce las sábanas con la dorada miel que destilan tus dedos
Plancha la tela de hilo hasta suavizarla
Con el amor rescatado de todas las personas que has conocido
Ancestrales, heroicas en sus faenas,
Mulle las almohadas felices hasta que se aviven las plumas de ganso
Como nubes saludables semejando globos
Los cúmulos del buen tiempo
Las glorias de los nimbustratus
Acaricia con ganas el bordado que adorna las fundas
Las puntadas son del color y material de tus sueños

No es divertido dormir en medio espacio
De manera que, ahora, junto con tantas colchas de la memoria,
Complejos patrones de crochet
El tierno satén
El comfort del chenille
Tu cuerpo cubre la cama

Enamora tu cama hasta hacerla sentir como una reina
El escenario de una larga existencia -en la realidad, imaginación y
peculiaridades-

Romancing the Bed

How does a half become a person?

A swarm of busy golden bees
Take the bed by storm

Mend the sheets with honey from your fingers
Iron the fine linen smooth
With love regained from all the people you have known
Ancestral, heroic in their work
Fluff the pillows gay till the goose down comes alive
Like puffy, healthy clouds
The fair weather cumulus
The glory of a nimbostratus
Caress with desire the embroidery adorning the cases
The stitches are the color and the texture of your dreams

It's not fun to sleep in half a space
So now, along with the many spreads of memory
Intricate patterns of crochet
Tender satin
The comfort of chenille,
Your body covers the bed

Romance your bed and make her feel like a queen
The scene of a long lived existence -real, quirky or imagined-

La mejor tierra posible de fantasía desde donde fotografiar el
orden de la experiencia
Una cama puede ser un raudal, arroyo, riachuelo, ríos y hondos
desfiladeros con aguas corriendo salvajes hacia el mar

Enamora la cama
El lugar donde desnuda en reluciente descanso tu carne ávida
espera tu toque de deleite para exaltar una soledad por excelencia

Las aguas inmortales
Te protegen de aquellos que amenazan masticar tu cuerpo y alma
en tu ascención hacia lo excepcional

Tan valiente como es posible
Con todo el exuberante denuedo a tu disposición
Lucha hasta el fin contra lo ordinario
Arroja fuera la tristeza
Permite entrar la buena brisa por doquier para refrescar tu reino
Dibuja con el éxtasis que tan bien conoces un silencio dichoso
Termina con el temor a perder
Recoge la recompensa que es tuya por derecho

¡Celebra!
Acabas de nacer.

A best fantasy land from where to photograph the order of
experience
A bed can be a stream, a brook, a rivulet, rivers and deep gorges
with waters running wild into the sea

Romance the bed
The seat where nude in gleaming rest your eager flesh awaits
your touch of delight in celebration of a solitude par excellence

The never ending waters
Shield you from those menacing to gnaw your body and soul in
your ascent towards exception

As brave as brave can be
All the feistiness at your command
Fight the ordinary to the end
Toss the sadness out
Let the good breeze in everywhere to refresh your realm
Draw with the ecstasy you know so well a blissful silence
End the fear of loss
Gather the bounty that is yours by right

Exult!
You have just been born.

INTERIORES
A Curtis Thomas

Mi corazón habita
Una cueva tormentosa donde hojas dementes danzan en
miríada de tonalidades

En mi interior
Torrentes vastos chocan
Sin vergüenza exhiben
Altos picos de blanco
Exquisito

Nada me falta
Desnuda
Protegida
Intensa

En el más distante margen
Sin temor alguno
Nado.

INTERIORS
TO CURTIS THOMAS

My heart dwells
In a stormy cave where demented leaves dance in myriad
hues

In the interior of myself
Vast rapids gash
Unashamedly flash
Tall peaks of white
Exquisite

I nothing lack
Naked
Enclosed
Intense

In the outermost edge
Fearless
I swim.

VOLANDO

Transparentes, húmedas, vuelan las cascaritas de ajos por la cocina
Rápidas, astutas, seguras
Como un "Etude" de Chopin
Mis dedos, pegajosos como dulce de menta a medio comer,
Intentan someterlas

Un día borrascoso
Yo, inmóvil, extática
Soy incapaz de ordenar la fuerza que sobrecoge el lugar
Aun cuando, a lo lejos, el viejo castillo me implora que participe
de su fortaleza

Cocino
Sirvo
La fiebre usurpa
Mi entrepierna
Mi cabeza
Todos mis nervios

Chupo, mastico un delicioso pedazo de bizcocho blanco
El glaseado azucarado me completa y lleva a cabo mi sanación

¿Me atreveré a decir
Como ocurrió que me fui en este
Viaje intrigante
Hacia el descubrimiento del dolor humano?

Un ángel me visitó para rociarme con el agua que sólo ellos
conocen
Transformada en uno de ellos, ahora puedo volar.

FLYING

Transparent, moist, garlic peels take flight all over the kitchen
Quick, sharp, secure
As a Chopin "Etude"
My fingers, sticky as half eaten peppermint candy,
Strive for containment

A very stormy day
I, unmovable, ecstatic
Cannot gather the force taking over
Even when yonder, the old castle implores me to partake of its
strength

I cook
I serve
Fever engulfs
My crotch
My head
My every nerve

I suck, I chew a delicious piece of white cake
The sugary icing makes me whole and carries out my healing

Do I dare tell
How it happened that I went on this
Intriguing trip
To discover the ache of humans?

An Angel came my way and splashed me with their unique kind
of water
Transformed into one of them, I am now able to fly.

NATURALEZA Y URBE
NATURE AND THE CITY

Registro trigueño
Plaza de Armas, Viejo San Juan

Una tierra pequeña
Un peñón en el mar

Niñas con trenzas cazan palomas
Divierte su risa inocente, traviesa

Niños fornidos patean los pichones
Mientras patinan en tablas ligeras con energía arisca

Muchachas, en su juventud seguras, orgullosas retan el
vaivén
De las hojas y flores rosadas de los robles airosos
Con el contoneo voluptuoso de sus movimientos
La ropa ceñida acentuando los senos erguidos

Embelesados los hombres observan

Adultos, mayores disfrutan el ocio con reverencia y
asombro

Estatuas de las cuatro estaciones, testigos de historia,
montan guarda en cada esquina de la guapa fuente
Desde donde con deleite observan el registro trigueño
infinito.

BROWN FACES
MAIN SQUARE, OLD SAN JUAN

A small land
A mere rock on the ocean

Little girls, hair in pigtails, run after pigeons
They amuse with their innocent, mischievous laughter

Rough boys kick the small birds
As they skate on their boards surly with energy

Young women, sure of themselves, proudly challenge the
swing
Of the leaves and pink colored flowers of the airy oak trees
As they voluptuous sashay
Breasts erect underneath tight fitting clothing

Men watch with delight

Grown ups and elders bask in their leisure amazed and
awed by it all

Statues of the four seasons, witnesses to history, mount
guard in each corner of the handsome fountain
From where in rapture they watch the endless register of
brown faces.

Despertar
Plaza de Colón, Viejo San Juan

Mi tierra me devolvió las mañanas cálidas, frescas
Almendros en perfil de zig zag danzarino
Claroscuro juego de acentos de luces y sombras en hojas
ricas, profusas, preñadas de un recuerdo cincelado al instante

El azafrán de abundantes capullos lozanos canta
       Flamboyán
       Tulipán africano
Despierta todo el pueblo
Comienza la jornada

Trabajadores se agachan al ritmo de la labor de la escoba
La ciudad antigua se renueva con la limpieza dedicada de la
primera hora.

En lontananza se yergue majestuoso el castillo
Garitas deslían los tesoros de antaño
En el centro de la plaza monta guardia Colón, nuestro gran
Almirante

Un pichón solitario surca la bóveda de celestes azules que
más adelante, según corre el día, al atardecer incitan con
inefables, inesperadas paletas cuyas tonalidades hacen volar
nuestras mentes.

Awakening
Columbus Square, Old San Juan

My land gave me back the warm, fresh early mornings
The zigzag movement of the dance of almond trees in
profile
Chiaroscuro plays of accents of shadows and lights over
opulent, profuse leaves pregnant with memories in an
instant sculpted

The saffron of bountiful blossoms luxuriant sings
       Flamboyant
       African Tulip
The whole town awakens
A day's journey begins

Workers bend over and follow the rhythm of the sweep of
the broom
The old city comes alive with this dedicated cleaning at
daybreak

In the distance the castle raises majestic
Sentry boxes unravel the treasures of yore
Our Grand Admiral, Columbus, holds court in the center
of the square

A solitary bird takes over the vault of celestial blues that
later, as the day runs its course, shall incite us at sunset with
ineffable palettes whose unexpected tonalities make us fly
out of mind.

61

FLAMBOYÁN

¡Ay quién fuera ninfa!
Alas translúcidas pequeñitas
Cuerpecito transparente
Un vaso de agua fresquito
Sin dolor en cada hueso

Afortunadamente ahora mismo
Desaparece todo movimiento

Sólo queda la llamarada
De árboles de flamboyán en verano.

FLAMBOYANT

Ah! To be a nymph
Little translucent wings
Transparent little body
A cool glass of water
Without pain in every bone

Thankfully now
All movement disappears

Only the blaze remains
Of flamboyant trees in Summer.

Río Hudson

Rueda
Monte abajo
Una guapa celebración de ti mismo
En el agua
Por el Hudson
De brazo con Walt Whitman
Con los golpes
La corriente
Camina
Mano a mano
Por las calles amenazantes
Que describe Piri Thomas

Exquisitas
Las sacudidas hierbas de agua
Tallos
En oscuro rectángulo
Se mecen las coronas
Sobresale la yerba

Nunca muere el amor
No obstante las traiciones
Rosas rojas permanecen intactas
Como la sangre
El amor
Se multiplica
En variedad, en sombra, cómodo, seductor
Super Ser.

Hudson River

Roll
Down hill
A handsome celebration of oneself
On the water
Down the Hudson
Arm in arm with Walt Whitman
With the blows
With the flow
Walk
Hand in hand
Down These Mean Streets
Descriptions by Piri Thomas

Exquisite
Flaps of water grass
Stalks
In dark rectangle
Crowns sway
Weed towers

Love never dies
In spite of betrayal
Red roses remain intact
Like blood
Love
Multiplies itself
Various, shady, comfy, enticing,
Super Being.

El Globo

Los globos no eran nada silenciosos. Deslumbrantes, perfectas formas cilíndricas desafiaban cualquier idea de silencio. Encarnaban El Globo. Vivienda de todas aquellas palabras, las más increíblemente sugestivas del mundo, eternas, de tantas épocas, cima del deleite. Alguien acertó. Shaespeare, único verdadero artesano universal de la palabra. El mundo es la escena, la escena es la palabra, tantas palabras para tantas vidas, porque todos actuamos, participamos de la representación, intérpretes de artificio, la auténtica, inaudita presencia del artificio: majestades, villanos, doncellas engañosas y engañadas, astucia, hechizo, ardid, ingenio. Donde la tragedia dio paso a la comedia, comedia lograda no obstante los errores que a la postre cantan en este nuestro Gran Teatro del Mundo. ¿Comprendería acaso la Reina "Mum"? Tal vez. Esta vibrante canción de otoño, en toda su gloria, no compite con la "riqueza de peonías redondas" que tanto conmovieran a Keats. Diferente tipo de opulencia, las dos reúnen la extática belleza de perfectas estaciones. Pero no se trata de Inglaterra, ¿el Sur de Francia, acaso? Van Gogh sufre agónico la presencia de otras flores doradas, las suyas, como él, adoradoras del sol, que siempre llenarán con gracia muchos de nuestros espacios tanto majestuosos como humildes. Así, nos recreamos en la textura, la aspereza que puede ocurrir cuando hilamos hondo, tan hondo, violados por la negación de la experiencia y así poder experimentar, correr el riesgo para poder acariciar el rocío, como seda viva, de los encantadores infinitos grabados japoneses. Pero estos crisantemos son intrépidos. No es Inglaterra, Francia ni el Japón que nos conmueve. Es Nueva York.

The Globe

The globes were not at all mum. Bright, perfectly cylindrical shapes defied the very thought of silence. They incarnated The Globe. Dwelling of all of those words, the most incredibly suggestive in the world, eternal, of so many epochs, the epitome of delight. Someone got it straight: Shakespeare, the one true universal craftsman of the word. The world's the stage, the stage the word, so many words for so many lives, for we all play, are in the play, players of artifice, of artifice the sheer, compelling presence: kings and villains, maidens deceptive and deceived, wiles, spells, cunning, wit. Where tragedy gave way to comedy, comedy fulfilled no matter the many errors that ultimately sing in this the Grand Theater of the World. Would Queen "Mum" understand? Perhaps. This vibrant song of Fall, in all its glory, does not compete with the "wealth of globed peonies" that so charmed Keats. A different kind of richness, the two, they mesh in beauty ecstatic the perfect seasons. Yet 'tis not about England, the South of France, perhaps? Van Gogh agonizes over the overwhelming presence of other golden flowers, his own, like him, worshipers of the sun, that shall forever grace so many of our spaces stately and humble. So we dwell in texture, the roughness that may be when we go deep, so very deep, ravished by the denial of experience and thus experience, take the leap in order to caress the dew, like silk come to life, of the enchanting, endless prints from the Far East. But these mums are bold and it is not England, France nor Japan that moves us. It is New York.

CRISANTEMOS

11 de septiembre (en otro año)
9:45 A. M.
Nueva York, Calle 38, Avenida del Parque Sur, Esquina Noroeste.

Un día frío. Lluvioso. Gris. Borrascoso.
Paseo mojada. Callada. Las palomas duermen. El piano gime una melodía a tono con la ardientemente anhelada soledad.

De repente -los crisantemos- un estallido inusitadamente intenso de colores.

Había añorado flores por mucho tiempo, pero como decía mi amiga sotto voce: "Cuando las cosas no andan bien, los pequeños lujos se van". Guardé silencio. De pequeña aprendí que nuestra dignidad no debía permitirnos admitir que sufriéramos penurias ni privaciones. Seguíamos adelante, modificábamos hábitos. Celebremos las maneras de ser de amistades que pueden adquirir exquisitas y superfluas joyas para adornar gargantas, orejas y muñecas. Por mi cuenta, sueño con granates de seductoras tonalidades de rojo: almandinos, grosularitas, andraditas, espesartinas. Son incontables las vías del embeleso.

Fulgurantes, los crisantemos me hablaron: "Llévanos contigo, existimos sólo para gratificarte". Quedé estupefacta. ¿Cómo pudo alguien tirar algo tan bello? Sí, yacían en un canasto de basura cualquiera acompañados de toda suerte de diversos desperdicios

CHRYSANTHEMUMS

September 11th (another year)
9:45 A. M.
New York, 38th St., Park Ave. South, North East corner.

A very rainy day. Cold. Blustery. Gray.
Wet, I stroll. Silent. The pigeons sleep. A piano wails a melody in tune for the solitude I crave.

Suddenly -the mums- a burst of color so intense.

I had wanted flowers for so long, but as my friend said, sotto voce: "When times are bad, little luxuries go away." I kept silent. Early on I learned that one's dignity should not allow us to admit that we suferred losses or hardships. We went on, modified habits. Let us celebrate the ways of friends that are able to acquire exquisite and superfluous jewels to adorn throats, ears, wrists. I, for one, dream of garnets that seduce with their various shades of red: almandite, grossularite, andradite and spessartite. There are so very many roads to rapture.

The mums beamed at me and spoke: "Take us with you, we are here solely to gratify you." I was aghast. How could someone throw out something so precious? Yes, they laid in an ordinary trash can, accompanied by all sorts of sundry city refuse. Pure, robust, mag-

citadinos. Puros, robustos, magníficos, su amarillo incandescente brillaba en ese día gris, lluvioso, frío, con tanto viento.

Los sostuve cerca de mi corazón, apretados, con reverencia y entonces un pensamiento horripilante penetró mi cabeza. Tan incitantes, ¿los habrá colocado alguien allí con malas intenciones? Los acaricié como lo haría un ávido amante bien formados senos listos para el placer. Los llevé hasta mis oídos e intenté discernir sonidos malévolos que pudieran acechar en medio de tanta hermosura. ¿Podrían estar dispuestos para aterrar? Mi tacto y olfato llevaron sólo a su fresco aroma y robusta, encantadora y sedosa red. Luché contra mi espanto y la tentación de abandonarlos. Luché conmigo misma hasta decidir que valían la pena el riesgo, no solamente ellos, sino mi propia alma que no quería vivir con el terror. Los abracé mientras buscaba un taxi amarillo como la maravilla de sus pétalos.

El Museo Metropolitano de Arte rebosaba gente. Junto con mantas, abrigos y mochilas de tres adultos; un andador, juguetes y alimentos para el bebé, el guardarropa aceptó los crisantemos. Estaba deslumbrado por el brillo de las flores. Aprensiva, pensé: "¿Qué ocurre si estallan y destrozan el lugar?"

Caminamos hacia el misterioso templo egipcio engalanado con grafitos atrevidos. Alrededor descansaban piscinas con agua inmóvil y estatuas imponentes de leones fieros. Estaba muy nerviosa, algo en mi cabeza murmuraba sostenidamente: "¿Qué ocurre si estallan?" "El bebé tiene hambre", dijo la joven madre, "regresemos a casa". El guardarropa aceptó la propina agradecido y delicadamente nos entregó los crisantemos. Bajo los escalones principescos del museo, el chofer del taxi nos dijo que en días lluviosos le daba prioridad a familias y, exudando generosidad, aceptó todos los bultos, así como los crisantemos, con gesto amigable.

nificent, their incandescent yellow shined in the gray, rainy, cold, blustery day.

I held them close to my heart, tight, in awe, and then a horrific thought entered my head. So enticing, what if they were placed there with bad intentions? I fondled them as an eager lover would well shaped breasts ready for pleasure. I raised them to my ears and listened for sounds of evil that might lurk amidst such beauty. Could they be rigged for terror? My touch and smell led only to their cool scent and sturdy, lovely, silky web. I wrestled with my dread and the temptation to forsake them. I wrestled with myself and decided that they were worth the risk, not only they, but my own soul who did not want to dwell in fear. I embraced them while I looked for a yellow cab as yellow as the wonder of their petals.

A very busy day at the Metropolitan Museum of Art. Along with coats and wraps and knapsacks from three adults; a stroller, baby food and toys, the attendant at the checkroom took the mums. He was dazzled by the glowing yellow of the flowers. Apprehensively, I thought: "What if they detonate and tear this place asunder?"

We made our way to the Egyptian temple mysterious, embellished with daring graffiti, surrounded by quiet pools of water and imposing statues of lions fierce. I was quite nérvous, something in my head kept whispering: "What if they detonate?" "The baby is hungry," said the young mother, "we must return home." The checkroom attendant eagerly accepted the gratuity and handed the mums with delicacy. Down the princely steps of the museum, the cabby said that on a rainy day he gave priority to families and, exuding generosity, took the bundles, along with the mums, in friendly stride.

71

En casa, ahora, los crisantemos espléndidamente montan corte. Inmersos en un jarrón con agua los tallos sacian su sed. La magnificencia del río Hudson les sirve de telón de fondo. Parecen tan vivos, las hojas totalmente erectas, sensitivas a la luz que inunda el aposento, los múltiples pétalos amarillos fragantes, saludables. "¿Qué ocurre si hay una bomba de tiempo?", "¿Si no he de despertar jamás?", tiemblo mientras me voy a la cama.

Despierto. Sin daño alguno las hojas y los pétalos prosperan. Se superan los crisantemos. El amarillo enceguecedor de las corolas, el verde nutricio de las hojas me convidan a tocarlos y ser feliz; el amor, después de todo, posee tantas maneras de manifestarse.

"¿Qué ocurre si...?" permanece un dejo de temor.

Transcurren varios días. Los "qué ocurre si..." poco a poco desaparecen mientras la vida continúa y no me pasa nada. Podo los tallos. Refresco el agua. Los crisantemos, los muy robustos crisantemos, nada silenciosos, permanecen hasta que finalmente se despiden. Entonces sólo puedo pensar: los crisantemos y yo desafiamos el terror. Jubilosamente vivimos juntos el tiempo que nos tocó.

At home, now, the mums splendidly hold court and quench their thirst poised in a vase with water, the magnificence of the Hudson as back drop. They seem so alive, the leaves erect as can be, sensitive to the light that floods the room, the multiple yellow petals so fragrant, so healthy. "What if there is a time device?," "What if I won't ever wake up again?," I tremble as I make my way to bed.

Next morning I awake. The leaves and petals thrive, untarnished. The mums are outdoing themselves. The blinding yellow of the corollas, the nurturing green of the leaves bid me to touch them and be happy; love, after all, has so many different ways of showing itself.

"What if…?," a tinge of fear remains.

Many days go by. The "what ifs…" little by little recede as life goes on and harm does not come my way. I trim the stems. I freshen up the water. The mums, the very hardy mums, not at all mum, remain until they finally take their leave. At the end, all I can think of is: The mums and I defied the terror. In joy we lived together the time that was our own.

AMISTADES
FRIENDS

El Ángel Azul

A mi amiga de la infancia, Mini,
y a la gran Marlene Dietrich, otro tipo de Ángel Azul

Al escuchar mi voz, El Ángel Azul se encerró. No quiere que la
libertad de la palabra la contamine

Echo de menos la tela de tul azul, la cinta de lamé plateada

Mi mirada recorre el Hudson y cruza el puente desde Manhattan.
Descansa con el apuesto marido de su juventud en su casa de
ensueño. Cuatro saludables retoños completan el retrato ideal

>   Pero ¡ay! Aquí está el problema:
>   El Ángel Azul le teme al frío
>   "Quiero verte", le digo
>   "Podemos esperar hasta la primavera", dice ella
>   ¿Cuál de las dos resulta más dolida?

No es necesario aclarar que este Ángel Azul no es EL ÁNGEL AZUL

>   Un desfile escolar. Ella fue el ángel. Yo, demasiado alta,
>   trigueña, inquieta
>   Cómo deseo encontrarme con El Ángel Azul
>   Cómo lamento donde se encuentra

The Blue Angel

For Mini, my childhood friend,
and the great Marlene Dietrich, another type of Blue Angel

At the sound of my voice The Blue Angel locked herself in. She does not want to be contaminated by the freedom of the word

I yearn for blue tulle and silver tinsel ribbon

My gaze up the Hudson crosses the bridge from Manhattan. In her dream house she rests with the handsome husband of her youth. Four healthy offspring complete the classic portrait

> But ah! here is the rub:
> The Blue Angel is afraid of the cold
> "I want to see you," I say
> "We can wait for spring," she says
> Who hurts more?

Needless to say, this Blue Angel is not THE BLUE ANGEL

> A school pageant. She was the Angel. I was too tall, too dark, too spirited
> How I crave to see The Blue Angel!
> How I mourn where she is!

El otro día, ¡sorpresa!
El Ángel Azul me llamó por teléfono
"No resisto salir de la casa", me dijo

Camino por los Jardines Botánicos en el Bronx, el río Harlem
reboza patitos. El Ángel Azul mira por su ventana, yo me
pregunto qué tipo de pensamientos abonan su césped

Espero la primavera, el delicioso irrumpir de las hojas. Hoy, el
tiempo bien templado anuncia pequeños, gloriosos capullos.
Perales, magnolias en fuego, cornejos y cerezos en todo su
esplendor, en su mejor momento. Sólo pensar en el aroma de lilas,
en la riqueza sin par de las peonias como globos me intoxica

¿Crecerá alas algún día El Ángel Azul?

Ven, mi querida amiga, luce tu traje de tul azul, tu cinta de lamé
plateada sobre tu frente

Te quiero aquí en este distante margen.

The other day, surprise!
The Blue Angel phoned
"I cannot bear to go out of the house," she said

I stroll through the New York Botanical Gardens, the Harlem
river is teeming with ducks. The Blue Angel looks out of her
window, I wonder what thoughts are seeding her lawn

I wait for Spring, the delicious bursting of the leaves. The
mildness today announces tiny, glorious blossoms. Pear trees,
magnolias ablaze, dogwoods and cherries in utter splendor, at
their precious peak. Just the thought of the scent of lilacs, of the
untold wealth of globed peonies intoxicates me

Will The Blue Angel ever grow wings?

Come, my beloved friend, wear your blue tulle dress, home made
wings and tinsel silver ribbon on your forehead

I want you here at this far edge.

CRISTINA

A Edelmira González Maldonado y a Elissa Landi,
madre de mi amiga, Caroline Thomas

Mis conversaciones con Cristina
Son corrientes aguas puras, cristalinas

Segura, como pájaro en vuelo, disfruto del calor de su talento
donde los frutos de Amalthaea se convierten en turbulentos ríos
más allá del margen

Tan distinguida y elegante como Wally Simpson, podría ser Garbo
o Elissa Landi

Su ropa interior es no sólo exquisita sino incitante
Combinaciones perfectas de formas, colores, apliqués, texturas
Encajes de Bruselas así como de bolillos acarician su piel
Sus partes privadas exhiben detalles de artesanía "Shetland", tales
como la apreciadísima "estola anillo de boda"
Bordes hechos a mano provenientes del minúsculo reino de Liech-
tenstein crean un país de fábula que vale la pena observar
Bordados griegos en su monte de venus compiten con la nostalgia
que suscita la "Urna" de Keats donde todo es belleza
Diseños venecianos ingeniados por mujeres para varones tocarlas
en sus lugares más recónditos, finos como los de Murano y miste-
riosamente menos conocidos, la adornan
La sensación de seda adherida, relación de lo mejor de Man Ray,
toca sus senos, hace delirar su vulva y excita cada nervio de su bien

Christine

To Edelmira González Maldonado and Elissa Landi,
my friend Caroline Thomas' mother

My conversations with Christine
Are pure, crystalline, moving waters

Safe as a bird in flight, I bask in the warmth of her talent where
Amalthaea's fruit turns into turbulent rivers that overflow the edge

Elegant and classy as Wally Simpson, she could be Garbo as well as
Elissa Landi

Her underwear is fine stuff that is also hot stuff
Perfect combinations of shapes, colors, appliqués, textures
Brussels lace as well as bobbin lace caress her skin
Her privates exhibit Shetland Lace details such as the well esteemed
"wedding ring shawl"
Edging from the miniscule kingdom of Liechtenstein creates an-
other country of fable worth looking into
Greek embroidery on her pubic mound competes with our nos-
talgia for Keat's "Urn" where everything is beauty
Venetian designs woven by women for men to touch them in their
most occult parts, fine as those from Murano and mysteriously less
known, adorn her
The feeling of clinging silk, akin to Man Ray at his best, touches
her breasts, makes her vulva delirious, excites each nerve of her

cuidada piel
Su energía llega a ser tan provocadora como un safari africano
¡Tantos tipos de carreras!
Jirafas, elefantes, monos, tigres, leonas, abejas y el pequeñísimo eleutherodactylus portoricensis
Humanos a veces se integran a este juego de inspiración tan bendita
Como enamorarse de las inusitadas interpretaciones de Valery Gergiev

Y

No olvidemos
¡Sus prendas! ¡Ah sus joyas!
Yo, quien nunca he añorado ese tipo de adorno, genuinamente me conmuevo frente a su gusto y habilidad para, en la mejor tradición estética, seleccionar piezas tales como
Una pirámide de filigrana
Que es una máscara que glorifica la comedia y la tragedia, vestida de oro adornado por una hilera de lunares turquesa
Intricados diseños de flores perforadas con piedras preciosas como un encuentro fructífero de donde sale la felicidad preñada
No es poca cosa su destreza

Cristina y yo alcanzamos cumbres de lucubraciones en nuestro gusto por cosas espaciosas fuera de lo común tales como volar al espacio sideral para bailar toda la noche con los cometas y babearnos sin vergüenza alguna mientras nos atracamos células y esporas con el apetito sin lindes ni inhibiciones de mujeres hambrientas de orgasmos
¡Disfrutamos tanto juntas!
Ella me brinda el regalo de viajes a vidas y mundos que no hubiera podido imaginar

well tended skin
Her verve becomes as provocative as an African safari
So many types of run!
Giraffes, elephants, monkeys, tigers, lioness, bees, and the tiny eleu-
therodactylus portoricensis
Humans sometimes join this game so blessed with inspiration
Like falling in love with the unique interpretations of Valery Ger-
giev

And

Let's not forget
Her jewelry! Ah the jewels!
I, who has never craved that sort of adornment, am genuinely
moved by her taste and ability to, in the best aesthetic tradition,
select pieces such as
A filigree pyramid
That is a mask that glorifies comedy and tragedy, dressed in gold
adorned by a row of turquoise dots
Intricate designs of flowers pierced with precious stones as a ful-
filling encounter where pregnant happiness comes forth
Her skill is no small thing

Christine and I reach peaks of lucubrations in our liking for far
out spacious things such as flying to outer space to dance all night
with the comets and unashamedly drool while we gobble up cells
and spores with the out of bounds, uninhibited appetite of women
hungry for orgasms
We have such a good time together!
She gives me the gift of travel to lives and worlds I would not
otherwise had imagined

Me introduce a nirvánicos estados excitantes y su interés por los resultados es auténticamente interesado y discreto, compartir que promueve intercambios íntimos y civilizados muy gratificantes

Un día

Allí estaba. Miraba con atención el suave vaivén de las olas, sorbiendo con sensualidad un trago exótico, su cara oscurecida por la fiera atención del sol, su mata de pelo largo capaz de excitar todo el planeta tierra así como numerosas galaxias

Ella se acercó a él con la intención de mover sus velas hacia mí
Y así fue como crecimos inspirados, dulces, nobles, satisfechos y capaces de navegar hacia la más distante orilla

Re-inventamos afecto, re-escribimos el Kama Sutra, construimos la pasión tan excelentemente como es posible, tan fuera de serie como la Ostia Sagrada

Como puede verse, la realidad se transforma cuando estamos juntas
Cristina es una perfecta dama que sobresale en lo correcto de la carne así como en todo aquello de nuestra humanidad descarnada
Es la pura amiga que cultiva sábila cuyo jugo interior alivia todo tipo de dolor
Cristina revela sus secretas intensidades y yo enloquezco gozando de la exploración de eventos insospechados
Por mi parte, yo le regalo cenas deliciosas y spas de maravilla donde existimos de maneras que nadie más podría igualar
Ambas estamos conscientes de nuestro don y extraordinariamente conmovidas
¿Qué secreto compartimos?
Somos mujeres escritoras.

Introduces me to very exciting nirvana like states and is discreet and authentically interested about the outcome, sharing that makes for close, civilized exchanges that are quite gratifying

One day

There he was. He stared at the gentle lap of waves upon the ocean sensuously sipping a delectable exotic drink his face darkened by the attentive fierceness of the sun, his long mane of hair capable of arousing the whole planet earth and galaxies galore

She went to him with the intention of moving his sails my way
And so it was that we grew inspired, sweet, noble, content and were able to navigate to the utmost shore

We re-invented affection, re-wrote the Kama Sutra, made passion as excellent as it ever gets, as far out as the Holy Host

As can be seen, reality transforms itself when we are together
Christine is a perfect lady that excels in the correctness of the flesh, of our bare bones humanity
She is the quintessential friend that cultivates aloe vera whose innards soothe every imaginable pain
Christine reveals her secret intensities and I go mad enjoying the exploration of unimagined events
On my part, I give her the gift of delicious dinners and spas of marvel where we exist in ways no one else could ever do
We are both aware of our gift and extraordinarily moved
The secret that we share?
We are women writers.

ESTRELLITAS GIRANDO

Susan no tiene gatos
Betty no tiene perros
Jane tiró sus plantas por la ventana
Y no le hizo daño a nadie

Tres:

Susan/Aglaya
Betty/Talía
Jane/Eufrosina
Mis amigas, una magnífica cría de molinetes, como
estrellitas girando
Regadas por la ciudad
En colores fuera de serie
Diferentes también sus tamaños, ritmo, velocidad

Mis amigas, las gracias en concierto
Sin miedo, sin vergüenza alguna
Alegres parlotean
Bajo los árboles
En las aceras
En los cafés

Su declaración de independencia
Mientras construyen recién descubiertas realidades
De palabra en palabra

GYRATING STARS

Susan has no cats
Betty doesn't have dogs
Jane threw her plants out the window
And no one was hurt

Three:

Susan/Aglaia
Betty/Thalia
Jane/Euphrosyne
My friends, a magnificent brood of pinwheels, like gyrating
stars
Spread all over town
Their colors outrageous,
Different, as well, their size, rhythm, velocity

My friends, the graces in concert:
Fearless, shameless
Joyfully babble,
Under the trees
Standing on sidewalks
Inside cafés

Their declaration of independence
As they construct a bunch of new found realities
Word by word

Honestas, exigentes, excitadas
Como es la Babel de sus vidas

Inteligentes
Desde sus celulares hacen el amor
Como Artemis/Diana y sus amigas
Cuando, para cumplir con su destino, esperaban a Acteón
en aquella orilla del arroyuelo donde la absolutamente
tenaz defensa de la diosa de la integridad imprimiría la
victoria de su tribu mujeril
¡Ay certero salpicón que conjura del pobre venado el balido
que retuerce el corazón!

Mientras
Afrodita continúa construyendo el acantilado del placer
Y mis amigas
En nuestra fabulosa y desnuda ciudad
Elegantemente vestidas al grito de la moda
Llamativas y cómodas a la vez
Bien peinado el cabello
Luciendo limpias manicuras y pedicuras
Constituyen una espléndida foresta de estrellitas girando.

Honest, exacting, exciting
As is the Babel of their lives

Intelligent
On their mobiles they make love
Like Artemis/Dianna and her friends
When, in order to fulfill their destiny, they waited for
Actaeon in the margins of that stream, where the absolutely
sturdy defense of the goddess of integrity would imprint
the victory of their female tribe
Oh well aimed splash that conjures the heart wrenching
bleating of the poor deer!

Meanwhile
Aphrodite goes on constructing the edge of pleasure
And my friends
In our fabled naked city
Elegantly dressed in the latest style
Flashy as well as comfy
Well coifed
Exhibiting clean manicures and pedicures
Make a splendid forest of gyrating stars.

Milenio

Trillones de estrellas centelleando
Nosotros, con los amigos.

Esta noche de Año Viejo brindamos por nuestros anfitrio-
nes Caroline Thomas y Robert Bênes, por Elissa, su encantadora
hija, y por el elegante y refinado caballero, el papá de Caroline,
Curtis Thomas.

La legendaria estrella, Elissa Landy, mamá de Caroline, pre-
side desde el grandioso retrato al óleo luciendo el vestido del per-
sonaje que interpretara en *El signo de la Cruz* de César B. De Mille.
Elissa actuó en filmes tales como *El boleto amarillo* con Lawrence
Olivier y *El Conde de Montecristo* con Robert Donat.

Este hogar, desde donde se divisa el Museo de Historia
Natural en Manhattan, es un verdadero palacio de las artes. Sus
habitantes imparten conocimientos; actúan, escriben, pintan y
generosamente nos regalan su amistad. Junto a ellos, celebramos la
magnífica suerte de compartir esta noche la bienvenida al Nuevo
Milenio.

Murray, gentil descendiente de Transilvania, tierra donde
una vez reinara el Conde Drácula, ha traído consigo, para nuestro
disfrute, el espíritu de este astuto inventor de excentricidades san-
grientas quien se une a la fiesta y brinda con un exquisito vino de
sus añejos y exóticos viñedos, un tinto goteando sangre.

Esta noche Diana se torna compasiva y le perdona a Acteón
su transgresora mirada para que el pobre venado pueda de nuevo convertirse en hombre. Agradecido le besa las manos porque

90

MILLENIUM

Trillions of stars flashing
Just us, these friends.

Tonight we toast our hostess and host Caroline and Robert
Bênes, as well as their charming child Elissa, and that most elegant
and refined gentleman, Caroline's father, Curtis Thomas.

The legendary star, Elissa Landy, Caroline's mother, presides
from the grand oil portrait wearing the costume of the character
she portrayed in Cecile B. de Mille's *Sign of the Cross*. Elissa acted
in films such as *The Yellow Ticket*, alongside Lawrence Olivier and
The Count of Monte Cristo with Robert Donat.

This home overlooks the Museum of Natural History in
Manhattan and is a true palace of the arts. Their inhabitants share
their skills; act, write, paint and generously have given us the gift
of friendship. Along with them we celebrate the magnificent force
that brought us here together this New Year's Eve to welcome the
New Millennium.

Murray, gentle descendant of folks from Transylvania,
where Count Dracula once reigned, has brought with him, for our
enjoyment, the spirit of this astute inventor of bloody kink who
joins our party with a toast of dripping blood red wine exquisite
from his ancient and exotic vineyards.

Diana becomes compassionate tonight and forgives Actaeon his transgressive gaze so the poor deer becomes a man
again. Gratefully, he kisses her hands for he knows her fingers

reconoce que sus dedos llevan el sello de colores encantados. Su padre y su madre fueron pintores de valía y le legaron a ella su excelencia artística.

Nuestro amigo tejano, convertido en vaquero neoyorkino, viste hábito de monje para con ironía encubrir su incandescente homenaje a la carne. Continúa el ritmo y el baile, querido John, Agradecemos tu simpatía, candidez y alegría.

Quién podría en una sola vida ser tan excepcional como para que la seleccionaran "playmate of the month" en *Playboy* y ver coronado su atractivo en el mismo número con la publicación de un impecable relato de ficción. Querida Alice, nuestra agraciada belleza sureña, apreciamos, de todo corazón, tu admirable combinación de belleza y talento.

Ken, alma poética entre nosotros, toca la flauta y continuamente nos halaga con frases tales como: "Siempre regresas con las estaciones". Impresor experto de catálogos de arte, trabaja intensamente para crear hábitats exquisitos para cuadros y palabras que en nuestra imaginación se convierten en rivales de los mejores momentos visuales de la memoria, tales como cuando la amplia falda de Marilyn Monroe, respondiendo a la energía del aire que se colaba por la parrilla del "subway", se convirtió en voluptuoso abanico dejando al descubierto su ropa íntima, venerable invención del deseo.

Dolores es una mujer radiante que escribe libros, actúa en obras de teatro, y viste, además, la toga de la ley en su quehacer como mediadora de parejas en dificultades. No es un pájaro ni un aeroplano. Es la *Mujer Maravilla* del West Village de Manhattan.

Iris, tu dedicación a la poesía es robusta, vástago fiel de tu alma abnegada. De ti guardo una visión luminosa conduciendo un tractor cuando sobrellevaste duros trabajos junto a diestros y experimentados trabajadores. Esta temprana muestra de fortaleza elegante permanece con nosotros para convertirse hoy en el placer de tu compañía.

bear the imprint of mesmerizing color. Both her parents were accomplished painters who bequeathed to her their artistic excellence.

Our Texas friend turned urban cowboy wears monk's robes in a play of irony to cover his incandescent celebration of the flesh. Carry on the beat and dance, dear John. We thank you for your gaiety and abandon.

Who could in a lifetime be exceptional enough to be chosen playmate of the month in *Playboy* while the same issue crowns her looks with an excellent piece of short fiction. Dear Alice, our gracious Southern Belle, with all our hearts we cherish your extraordinary mating of beauty and talent.

Ken, poetic soul among us, plays the flute and does not cease to please us with phrases such as: "You come to us with the seasons." He is an expert printer of art catalogs and intensely labors to create exquisite habitats for pictures and for words that become, in our imagination, rivals of the best visual remembrances, such as when Marilyn Monroe's ample skirt turned voluptuous fan in response to the enery of the air that slipped through the subway grill showing off her undies, a venerable invention of desire.

Dolores is a radiant woman who writes books; an actress of the stage, she also dons the robes of the law in her role as mediator of couples in distress. She is not a bird nor a plane. She is the *Wonder Woman* of the West Village of Manhattan.

Iris, your dedication to the word is robust, a loyal child of your very sturdy soul. I have a glowing vision of you atop a tractor in a farm when you endured hard work next to seasoned field hands. This early show of handsome strength resides with us today as the pleasure of your company.

Jerry nos instruye en conceptos básicos de "transferencia" para que podamos estar lo suficientemente bien informados como para hacer trepar paredes a cualquier terapista. Todo esto es divertido porque Jerry tiene un gran sentido del humor.

DD, nutricia de nacimiento, juega en torneos de tenis y hornea el mejor bizcocho de chocolate que jamás haya soboreado. Viajera experimentada de las Islas, se traslada a Sardinia y Hawaii siguiéndole el rastro a sus adorables hijos y nietos. Otras Islas tales como Santo Domingo, Puerto Rico y Hilton Head alimentan su pasión viajera.

Si disfrutas de la fotografía, Peter te mostrará el camino. Fue uno de los primeros en retratar a su compañero de clases, Paul Newman, de quien siempre pensó que llegaría lejos. Podemos encontrar también tesoros compartidos tales como nuestro aprecio por el desaparecido pero no olvidado "Espectro de la Rosa", interpretación de Vaslav Nijinski, el icónico bailarín ruso.

De todas nuestras amistades, Barbara es la que le hace mayor justicia a su nombre por la agudeza de su ingenio, deslumbrante inteligencia, hijos maravillosos y finalmente, pero no menos, porque nos prepara cenas formales y gourmet haciéndonos sentir civilizados y europeos, como viajar en espacio y tiempo a un seductor palazzo italiano.

Pat Kaufman habita un delicioso "loft" donde pinta con atrevidos registros de formas y tonalidades. A veces incluye palabras en los lienzos. Es versátil en sus creaciones literarias, así como en su vida. Dramaturga, novelista, decoradora innata, anfitriona y cocinera experta, le conferimos con gusto el título de *Supermujer* de SoHo.

Esta noche me acompaña mi buen esposo, Joe, y Teruca, mi muy querida joven amiga, a quien conozco desde que estaba en el vientre de su madre.

Les doy las gracias a todos por ser tan extraordinariamente singulares y, más que nada, por ser mis amigos.

¡Feliz Año 2001!

Jerry gives lessons in basics such as "transference" so one can be sufficiently informed and able to drive any psychotherapist up the wall. This all happens in great fun for Jerry has a terrific sense of humor.

DD, a born nurturer, takes part in tennis tournaments and bakes the best chocolate cake I ever tasted. A seasoned Island commuter, she travels to Sardinia and Hawaii, in the trail of her lovely children and grandchildren. Other Islands such as Santo Domingo, Puerto Rico and Hilton Head nourish her passion for travel.

If you enjoy photography, Peter will show you the way. He photographed Paul Newman when they were room mates in College, quite aware that this early friend would go far in life. One can find hidden treasures in his company such as a shared interest in that gone but not forgotten "Specter of the Rose," the iconic Russian dancer, Vaslav Nijinsky.

Of all our friends, Barbara truly lives up to her name in her eccentric wit, dazzling intelligence, wonderful children and finally, but not least, because from her we get a proper gourmet sit down dinner that makes us feel civilized and European, traveling in space and time to an inviting Italian palazzo.

Pat Kaufman lives in a delicious "loft" where she paints in daring registers of form and hues. Sometimes she interspaces words on her canvas. Her literary inclination is versatile such as her life style. A playwright, novelist, innate interior decorator, hostess and expert chef, we cheerfully give her the title of SoHo's *Superwoman*.

This night I'm blessed to be accompanied by my good husband, Joe, and by Teruca, my dear young friend, a dear young person who I know since she was in her mother's womb.

I thank you all for being so special and, above all, for being my friends.

Happy New Year 2001!

Reparto: (Vivos, Muertos, Imaginados)

Acteón
María Arrillaga
Elissa Bênes
Robert Bênes
Alice Denham
Diana
Teruca Díaz
Conde Drácula
Diana Gordon
Murray Gordon
Joseph Gutiérrez
Pat Kaufman
Elissa Landy
Iris Litt
Barbara Loeb
Mujer Maravilla
Ken Milford
Marilyn Monroe
John Mueller
Vaslav Nijinsky
DD Schroeder
Peter Schroeder
Gerald Solk
Supermujer
Caroline Thomas
Curtis Thomas
Dolores Walker

Cast of Characters (Living, Dead, Imagined)

Actaeon
María Arrillaga
Elissa Bênes
Robert Bênes
Alice Denham
Diana
Teruca Díaz
Count Dracula
Diana Gordon
Murray Gordon
Joseph Gutiérrez
Pat Kaufman
Elissa Landy
Iris Litt
Barbara Loeb
Ken Milford
Marilyn Monroe
John Mueller
Vaslav Nijinsky
DD Schroeder
Peter Schroeder
Gerald Solk
Superwoman
Caroline Thomas
Curtis Thomas
Dolores Walker
Wonder Woman

MADRES E HIJAS
MOTHERS AND DAUGHTERS

Amor siniestro

Mi hija me quiere a su imagen y semejanza
No sabe ella
Que soy yo
Su madre
Quien guarda la imagen
Quien guarda la semejanza
Le di yo la imagen
Así como la semejanza

Sin cuartel mi hija me hace la guerra
Mi espíritu valiente enardecido late su lúcida tortura en lo
más profundo de una miserable trinchera
Esquivo los múltiples proyectiles de su ira
El ejército rabioso de misiles holográficos que ataviada con
manto de furia ancestral con vehemencia me lanza

Ella quiere que yo sea una masa de sangre compacta
Un feto
Coronada ella en gestación

Se resiste a nacer mi hija
Si pudiera
Me abortaría
En una victoria horrífica
Afirmaría su imagen
Libre de mi semejanza

Está escrito en sangre
Dar vida es asomarse al precipicio sin límites
Donde aflora la masa sangrienta
De los hijos que no quieren nacer
De los hijos que rehusan crecer
Dar vida es correr el riesgo
De ir al encuentro
De la inefable, eterna
Siempre palpitante versión más siniestra de amor.

Sinister Love

My daughter wants me to be her image and likeness
She doesn't know
That it's I
Her mother
The source of her image
The source of her likeness
I gave her the image
As well as the likeness

My daughter wages a fierce war against me
My valiant spirit pulsates inflamed its lucid torture in the
utter depths of a miserable trench
I duck the multifarious projectiles of her ire
The wrathful army of holographic missiles that dressed in
mantle of ancestral fury she vehemently hurls against me

She wants me to be a compact mass of blood
A fetus
She shall then carry the crown of gestation

My daughter doesn't want to be born
If she could
She would abort me
In a horrific victory
She would affirm her image
Free of my likeness

It's written in blood
To give life is to face the unbounded precipice
Where the bloody mass comes forth
Of children who do not want to be born
Children who refuse to grow up
To bear life is to run the risk
Of facing the encounter
Of the ineffable, everlasting
Forever palpitating most sinister version of love.

Mudas de oro

Pensé que era persona
Pensé que podía hablar
Como espirales de fuego rebotaron las palabras
Airadas flechas profundamente penetraron en mi corazón

Mi iracundo retoño redujo a cenizas nuestro amor
Una chispa solitaria reverberó silencio
Vibraciones en los destellos de las olas emitieron latidos
Era la excitación de una muda luz

La madre ha enmudecido
Muda la madre
Muda de oro
Para alcanzar esta dorada gloria
Poder entrar a la recámara
De su corazón
Me convertiré
En crisantemo

Soy madre
Soy mamá
Mudas son las madres
Las madres son mudas
Mudas son las mamás
Por ello me creceré pétalos
Dorados sedosos espesos pétalos
Alrededor de un globo perfecto
Yo, madre, convertida en flor
Sedosa, dorada, redonda
Consumada soy
Crisantemo.

Golden Mums

I thought I was a person
I thought that I could speak
Like coils of fire the words rebounded
Swift, vicious arrows dug deep into my heart

My angry child reduced our love to cinders
A lone ember reverberated silence
Vibrations pulsated in the flashing waves
It was the excitement of a soundless light

A mom is mum
Mum is the mom
A golden mum
To achieve the glory of the gold
Be able to enter the chamber
Of my child's heart
I shall become
A chrysanthemum

I am a mother
I am a mom
Mum are the mothers
Mothers are mum
Moms are mum
Thus I shall grow petals
Thick silky golden petals
Around a perfect globe
I, a mother now, am a mum
Silky, golden, round
A consummated
Chrysanthemum.

Nació para correr

Mi hija, la experta corredora
No es corredora profesional
No corre maratones
No obstante, nació para correr

Por los exhuberantes rosales se asoma una carita
Mamá no puede entrar en la casa

¡Dios mío! Me cerró la puerta

Comienza la corredera

Su trabajo
Sus amigas
Sus amantes
La comida que para ella prepara con tanto amor
La ropa que le compra para que se vea bonita
Los juguetes que con cuidado y ternura escoge para
complacerla
Lee
Escribe
Duerme
No importa lo que haga
No importa lo que no haga
La hija alimenta ira

BORN TO RUN

My daughter, the expert runner
She is not a sprinter
She is not a marathon runner
Yet, she was born to run

A little face peers out from the lush rose bushes
Mommy can't get into the house

My God! She locked me out

The beginning of the run

Her work
Her friends
Her lovers
The food she lovingly prepares for her
The clothes she buys to make her pretty
The toys she picks with tender care to give her joy
She reads
She writes
She sleeps
Whatever she does
Whatever she doesn't do
Make the daughter angry

Viene el verano y podremos estar juntas, dice la madre
La niña corre
Siempre tiene coraje con la madre y corre
La madre guarda los veranos para estar con ella
Todos los veranos corre

Un día anuncia que se va
La madre la echa de menos

Años después regresa
La madre hace lo que puede
La madre intenta brindarle una educación universitaria

Un día anuncia que se va para siempre
El corazón de la madre se quiebra
Por doquier busca a la hija
Comienza una carrera de 13 años para ellas

La hija aparece en las estepas salvajes de Rusia
La madre la va a buscar
Se las arregla para incitarla a que regrese

Ahora, de vez en cuando, la hija viene a casa de su madre
La hija siempre corre

El corazón de la madre —el más lastimado del mundo-
Despierta un día para ver estas palabras labradas en piedra:

Nació para correr

Amor entre madres e hijas es una corredera.

Summer is coming and we can spend time together, says
the mother
The girl runs
Always angry at her mother she runs
The mother saves summers to be with her
Every summer she runs

One day she announces that she is leaving
The mother misses her

A few years later she comes home
The mother does what she can
The mother tries to facilitate a college education for her

One day she announces that she is leaving for good
The mother's heart breaks
She looks everywhere for the daughter
A 13 year run ensues for them

The daughter surfaces in the wild steeps of Russia
The mother goes looking for her
She manages to entice her to come back

Now, occasionally, the daughter comes home to her mother
The daughter always runs

The mother's heart –the most battered in the world–
Awakens one day to see these words carved in stone:

Born to run

Love between mothers and daughters is a run.

Quiero

En esta magnífica, intensamente recorrida ruta las nubes, colmadas de regocijo, hablan:

"No ha llegado todavía el fin, el margen es el espacio de la esperanza"

Sé lo que quiero

Una compañera del alma, aliada, cómplice
Ser testigo de su lucha colosal con la vida donde afirmará su brillantez
Compartir deseos, secretos, errores y motivos
Verla desnuda
Yo también desnuda, mi cuerpo vivo, con cicatrices
¡Grande!
Ambas
¡Grandes!
Nos confundiremos en un estrechísimo abrazo; super dramático, operático, entrelazadas como sólo pueden hacerlo los mejores amantes
Como una sola, semejantes a vigorosas yeguas en sus primicias, reviviremos el momento de mayor placer cuando estaba en mi vientre

Quiero hablarle sobre los hombres

Want

In this magnificent, intensely traveled route the clouds are gay and thus they speak:

"Not yet the end, the margin remains the space of hope"

I know what I want

A soul mate, an ally, an accomplice
To witness her colossal struggle with life assertive in her brightness
I want us to share wants, secrets, motives and mistakes
I wish to see her naked
I shall be naked too, my body scarred and vital
Big!
The two of us
Big!
We shall embrace in a tight, super dramatic operatic embrace, entwined as only best lovers can be
As one, like vigorous mares in their prime, we shall relive the time of utmost pleasure when she was in my womb

I want to talk to her about men

Sería divertido compartir momentos triviales, románticos o meramente imaginados tales como mi fetiche por caderas de varones por vía de los sugestivos vestuarios de espadachines de Errol Flynn

Mi clamoroso, arrebatado vivo deseo por Brando

La silenciosa, exquisitamente invisible hiedra de mi atracción hacia mi primo, Raúl Juliá.

Sería maravilloso encontrarnos al frente de la Biblioteca de la Calle 42 y compartir la magia oculta de los leones que, con su imponente presencia, se las arreglan para llevar los candentes nombres de "Fortaleza" y "Paciencia" inspirándome a venerarlos como recién encontrados íconos de estas indisputables virtudes

Un poco hacia el Sur, Kong se columpia para nuestro gusto y regocijo desde la cima de esa gran muestra de Arte Deco, el "Empire State Building", baluarte de nuestra amada ciudad

King Kong, los leones Paciencia y Fortaleza siempre listos para rescatarnos al más recatado murmullo de algún aprieto: héroes, salvadores, mejores amigos

Podríamos compartir estos amigos

II

La quiero hambrienta como yo, apasionada al punto de agotamiento dichoso, un poco chiflada, nunca al punto de hacer o hacerse daño, con el preciado talento de guerreras entrenadas en el hondo, insondable espacio de consumado deleite

Somos diosas tántricas que conocemos bien las imágenes de Khajuraho

De ella y para ella quiero compañía inteligente, tierna como balidos de becerritos; cruda y al natural, como leche materna; con el insuperable genio de San Agustín; al margen, atrevida, generosa y abierta; segura, acaso, porque no importa un bledo quienes sean ellas o ellos que la acompañan o de donde vengan; ser benemérito podría presentar un riesgo, depués de todo

It would be fun to share trivial moments, some romantic or perhaps merely imagined, such as my fetish with men's thighs via Errol Flynn's suggestive swashbuckling costumes

My howling, wrenching live desire for Brando

The silent, exquisitely invisible ivy of my attraction for my cousin, Raúl Juliá

It would be nifty to stand side by side in front of the 42nd St. Library sharing the occult magic of the lions who, with their awesome presence, manage to exhibit the hot names of "Patience" and "Fortitude" inspiring me to worship them as new found models of these undisputed virtues

Just a bit South we shall meet Kong who forever swings for us in utter glee from the top of that most celebrated Art Deco structure, the Empire State Building, bulwark of our beloved city

King Kong, the lions Fortitude and Patience always on call to rescue us at the slightest whisper of our need: heroes, saviors, best friends

We could share these friends

II

I want her hungry as me, passionate to the point of blissful exhaustion, a little kinky, never to the point of hurt, just skilled in the precious talent of warriors trained in the deep, unfathomable space of accomplished delight

We are Tantric goddesses who know well the images of Khajuraho

I want from her, for her as well, intelligent companionship, as tender as the bleating of young calfs, raw and natural as mother's milk; with the unsurpassed genious of St. Augustine; marginal, edgy, generous and open; secure, perhaps, for I don't give a damn who she or he might be or where he or she comes from; being worthy could be risky, after all

Persuación y persuaciones nos vincularán

Nos pasearemos por jardines ocultos de ensueño y comeremos cantidades de ostras, intoxicadas con sendas copas de "Dom Pérignon"

Haremos caminatas por bosques deslumbrantes con la caída de gruesos copos de nieve arrobadas por la luminosidad calidoscópica que sin duda llevará a una futura delirante eclosión de los capullos para luego tornarse verdes, frescos como la risa de los camellos en las telas del Fraile Angélico, y eventualmente hacia la paleta ocre silvestre cuyas espléndidas hojas tornasoladas poblarán nuestros paisajes terrestres lunares

Disfrutaremos las canciones de tantas esferas hasta casi no poder resistir la música mientras caminamos a encontrarnos con el sol para con elegancia sobrellevar su hechizo hasta saludar la tentadora absolutamente erotizada llegada de la noche

En cualquier momento, dondequiera, seremos hechiceras del andar

Cada uno de nuestros cuerpos se afirmará como el mejor de los reinos posibles

Con humor jugaremos con él y lo conoceremos para poder transcendentalmente lidiar con sus incontables glorias así como con sus no tan sublimes alzas y bajas

Con humildad sincera apreciaremos su fragilidad y mortalidad como haríamos con un venado conmovedoramente gozoso y herido

He llegado a conocer sus inmensas fuentes de disfrute, y así puedo afirmar que la fuerza vital más poderosa descansa libre de género, de suerte que, con buena conciencia, podemos adorar las gallinas así como los huevos

A veces miro el azul de medianoche del cielo, veo una estrella solitaria haciéndole el amor a un pedazo de luna y, enloquecida por toda esa pura maravilla, chillo, grito y chillo, chillo, grito, aúllo, como loba en celo, absolutamente loca, salvaje de deseo.

Persuasion and persuasions shall be our bond

We shall stroll through occult dreamy gardens and eat up a storm of oysters intoxicated on "Dom Pérignon"

Trek woods sparkling with the falling of fat snowflakes enraptured by their kaleidoscopic luminosity that without any doubt shall lead to a future delirious bursting of the blooms only to turn green, cool as the laughter of camels in a Fra Angelico painting, eventually towards the wild ocher palette whose splendid changing leaves shall populate our earthly moonscapes

Enjoy the song of so many spheres as the music becomes too much to bear while we walk to meet the sun as we handsomely endure its spell so as to salute the tantalizing, absolutely aroused coming of the night

Anytime, anywhere, we shall become wizards of the walk

Each of our bodies shall assert itself as a best possible kingdom

We shall with humor play with it, get to know it well and deal transcendentally with its many glorious, as well as not so sublime ups and downs

Deeply moved by it, as if it were a blithe, wounded deer, with true humility we shall cherish its fragility and mortality

I have come to know its immense sources of enjoyment and pass on to you that the most powerful life source is quite without gender so we can, in good conscience, worship the chicken as well as the egg

Sometimes I look at the midnight blue of the sky, see a lone star making love to a slice of moon and, crazed by the sheer wonder of it all, I shriek, I shriek and howl, I shriek and howl and scream, like a she wolf in heat, absolutely mad, savage with desire.

113

ANYA

Anya me acompaña
Sus ojos se mueven con mirada de otros mundos
Está contenta
Es curiosa
Tiene vida

Debajo de la tierra habita
Satisfecha
Cuando llueve me visita
Las dos disfrutamos la niebla y la bruma
Vuela junto con los cardenales, azulejos y miríada de especies hogareñas que a menudo se posan sobre las ramas de los árboles del patio
Sobre un hilo equilibrado y seguro se cierne sobre el arroyo y sin límite alguno y con mucho placer se va tras el viento
Finalmente la reciben las ondas y nada
¿Habrá nacido cerca del agua?
¿En esta, su otra existencia, se habrá acaso convertido en ninfa?

Por entre la neblina aparece
Conversa con las azaleas rosa púrpura
Anida sus orejas y acaricia su cara con los exuberantes capullos rosados de los rododendros
Se junta con los acebos cuyos retoños en esta época se engalanan de blanco

Anya

Anya keeps me company
Her eyes move in an otherworldly gaze
Gay
Curious
Alive

She dwells underneath the earth
Content
She comes to me in the rain
We both enjoy the fog and the mist
She joins in flight the blue jays, cardinals and the homey
birds of so many different species that often appear on top of
the branches of the trees in our yard
On a secure even thread she hovers over the stream and in
unbound pleasure follows the wind
The ripples beckon and she eventually swims
Was she born near the water?
In this, her other life, has she perchance become a nymph?

Anya appears in the haze
She speaks to the purple rose azaleas
Nests her ears and caresses her face with the pink luxuriant
blossoms of the rhododendrons
Bonds with the buds of holly attired in white this time of
the year

La menta fragante se esparce con atolondrado abandono
Embargada por el pegajoso aroma corre a prepararse una taza
de té
Anya disfruta conmigo el perfume de las llamativas peonías
redondas
El tilín tilán visual de las pequeñísimas campanitas de los
lirios del valle
Le encantan las violetas silvestres que recogí detrás de la casa
y la pura magia de su sonrisa las convierte en un agraciado
arreglo floral

A veces corre hasta salírsele el corazón y como Dafne se
convierte en laurel victorioso
Los árboles son su carne
Se sienta bajo los olmos a leer todos los libros que le regalé
En páginas de la corteza de los abedules mantiene un diario
en el cual comparte sus pensamientos y recuerdos conmigo

Cuánto disfrutó de su libertad en Venecia cuando vagaba por
puentes y callejones y como princesa escapada en una dorada
góndola navegaba segura en su sueño
Recuerda nuestra caminata en la foresta tropical y lluviosa
Donde nos acurrucamos en el henchido verde follaje
Palmas reales y matas de guineos nos obsequian con el bienestar de su sombra
Las miramelindas son arcoiris de vívidos colores que enri-
quecen nuestro día con su júbilo
El dulce sabor de los mangos nos trae a la memoria nuestra
maravillosa estadía en Provenza cuando una insólita abun-
dancia de melocotones alimentó nuestro apetito y nos pasa-
mos todo el día horneando tartas

The fragrant mint spreads with giddy abandon
Overcome by the sticky aroma she runs to make herself a
cup of tea
Together we enjoy the scent of the boisterous, globed peonies
The visual tinkle of the tiny bells of lilies of the valley
She likes the wild violets I picked behind the house and the
sheer magic of her smile turns them into a graceful floral
arrangement

Sometimes she runs her heart out and like Daphne becomes
a laurel victorious
The trees are her flesh
Under the elms she sits and reads all the books I gave her
She keeps a journal in the sheets from the bark of birches
and shares her thoughts and memories with me

How much she enjoyed her freedom in Venice as she meandered through bridges and alleys and like a runaway princess
in a gilded gondola was steered to safety in her dream
She remembers our stroll through a rain forest
As we huddle in the lush foliage of green
Royal palms and banana leaves give us the comfort of shade
The Impatiens are vivid, colorful rainbows that fill our day
with their mirth
The sweet taste of mangoes brings to our mind the marvel
of our stay in Provence where the rare gift of peaches galore
awakened our appetite and we spent all day long baking tarts

Un día, Anya me regaló un anillo que encontró en la calle
La pequeña exploraba nuevos caminos
En carreteras desconocidas vestía atrevidos disfraces y, atónita
con cada nueva aventura, meneaba con alegría los deditos de
los pies

Anya es cada una de las estaciones del año
Las diminutas luciérnagas que a través de los árboles alum-
bran las noches son Ella
Se asoma a través de las nuevas espigas de hierba que relucen
al sol
Dibuja una paleta ocre para retratar el inicio de los cambios
de otoño
Con las bellotas de los robles juega
Los inusitados cambios en la fronda de los árboles de tilo son
parte de su aliento
Con el ámbar de los arces confecciona collares, aretes y
brazaletes
El gran edredón blanco de invierno la acoge
Se une al ritmo de la siempre diferente múltiplicidad de ava-
tares de los copos de nieve

A través del frío que congela me llega la música de un piano
Anya interpreta sus favoritos: Mozart, Chopin
Contemplo el voraz movimiento de sus dedos
Los sonidos tejen un tapiz que cuenta la historia del pro-
fundísimo amor entre madre e hija
Llevamos el sello inmortal del momento cuando Duccio por prime-
ra vez retrató la mirada entre Madona y el Niño — Somos Anya y yo

Soy tejedora

One day, Anya gave me a ring she found on the street
She was on her way to never before traversed roads
On highways unknown she wore daring disguises and, as-
tonished at each new adventure, happily wiggled her toes

Anya is one with the seasons
The minute fireflies that through the trees light up the night
are Anya
She peers through the new blades of grass as they gleam in
the sunshine
She draws an ocher palette that portrays the changes of au-
tumn
She plays with the acorns of oaks
The breathtaking moods of the lindens become part of her
breath
She makes necklaces, earrings and bracelets from the amber
of Maples
The down quilt of winter makes her feel cozy
She joins the flakes in the rhythm of their always different
multiple avatars

Through the bitter, freezing cold I hear a piano playing
Anya interprets the music of her favorite composers: Mozart,
Chopin
I watch the voracious movement of her fingers
The sounds weave a tapestry that tells the story of the deep
love between mother and daughter
We carry the imprint of the immortal moment depicted by
Duccio when Madonna and Child truly gazed at each other
in a painting – It's Anya and myself

I am a knitter

119

Carretes especiales de hilos y lanas, sus texturas y matices me
embriagan
Doy a luz piezas únicas tales como pulseras para los tobillos y
alfombras con diseños inspirados en la obra de Matisse
Soy ceramista
Amaso con amor el barro hasta que de mi imaginación sur-
gen formas a las cuales doy vida con los detalles que mi in-
vención descubre
Este verano trabajé en madera
Mis manos llegaron a poder manejar con facilidad herra-
mientas enormes y pesadas
Sentada en el bellísimo banco de chopo que para ella tallara,
Anya lo hace relucir
Mis uñas y dedos se manchan
Como Dürer y Rembrandt cultivo grabados al aguafuerte
Anya me observa y murmulla: "Continúa, mamá, por favor"

A la distancia, por las ventanas, vemos la silueta de anchas y
generosas montañas
Una lluvia sutil de hojas enmarca una manada de pavos salvajes
¡Tanto espacio para nosotras vagar!

¿Quién es Anya?
Bueno, para empezar,
Ya no cuenta centavitos
Esta afortunada mujer
Ha amasado una fortuna
La fortuna de una vida
La fortuna de irse joven no es poca cosa
Una forma de vida culminada
¡Cantemos para ella!
Porque Anya excede cualquier realidad mortal.

Special spools of thread and yarn, hues and textures turn me
on
I create unique pieces such as ankle bracelets and rugs with
designs inspired in the oeuvre of Matisse
I am a potter
I lovingly work the clay until my imagination gives birth to
shapes that I mold in distinct ways, discoveries of my own
invention
This Summer I tackled wood
Huge cumbersome tools became easy on my hands
Anya sits on the gorgeous bench of poplar that I carved for
her and gives a shine to it
My nails and fingers are stained
Like Dürer and Rembrandt, I etch
Anya watches me work and whispers: "Please mother, go on"

In the distance, the outline of wide, bountiful mountains can
be seen from our windows
A subtle rain of leaves frame a pack of wild turkeys
So much space for Anya and I to roam!

Who Is Anya?
Well, to begin with,
She no longer counts pennies
This fortunate woman
Has amassed a fortune
The fortune of a life
The fortune of passing while still young is no small thing
This kind of life complete
To her let us sing!
For Anya excels each mortal thing.

VIL SEDUCTOR
VILE SEDUCER

Botas de cuero español

CAPO

Compré (para él)
Botas de cuero español
A prueba de agua
Anticipando caminatas en la lluvia
Paseándonos juntos los dos
Sin que mis pies se mojaran

Compré (para él)
Una blusa de puro hilo blanco
Sin arrugas
Cuello mandarín
Mangas largas y delicados botones de madre de perla
Anticipando paseos parisinos
Por el Sena

Compré (para él)
Un jubón palabra de honor
Para fiestas en Nueva York
Seda negra, pegajosa
Abrazando mis pechos
Revelando el contorno de mis pezones
Como preludio a largas noches de anticipado afecto

Boots of Spanish Leather

CAPO

I bought (for him)
Rainproof
Boots of Spanish leather
Anticipating walks in the rain
Both of us strolling together
My feet not getting wet

I bought (for him)
A blouse of pure white linen
Creaseless
Mandarin collar
Long sleeves and dainty mother of pearl buttons
Anticipating Parisian strolls
Along the Seine

I bought (for him)
A strapless top
For parties in New York
Of clinging black silk
Hugging my breasts
Revealing the outline of my nipples
As prelude to long nights of anticipated affection

Escribí en código (para él)
Porque era rico
Mi sed de joyas
La felicidad que traerían
Soñé con granates que estrecharían nuestra relación
Piedras resplandecientes
Cerca de mi piel
Para que él las tocara
Celebrando nuestra unión

CORPO

El me regaló un pañuelo
De tela ordinaria y gastada

"Color aceituna como el color de tu piel
Para que te lo amarres al cuello"
Grilletes para una virgen
No una virgen joven que sirva de trofeo
Sino una esclava
Que con exclusividad
Me complazca
Para un placer sin límites

CODA

Pensó que podría marcharse
Ileso
Luego de hartarse

Sellé sus oídos
Con gritos iracundos

I wrote in code (for him)
My thirst for jewels
For he was rich
The happiness that they would bring
I dreamt of garnets that would bind us
Shimmering stones
Close to my skin
For him to touch
A celebration of our bond

CORPO

He gave me a scarf
A homely threadbare cloth

"Olive like the color of your skin
To tie around your neck"
A shackle for a maid
Not a young trophy virgin
But a slave
Exclusively
To please me
For my unbounded pleasure

CODA

He thought that he could leave
Unscathed
After he had his fill

I sealed his ears
With cries of rage

Para que no pudiera oír nada
Mientras yo tocaba Mozart en el piano todo el día

Lo quise ciego
Y le saqué los ojos
Su vista entonces tuvo
Como única luz el color de mi piel

Lo besé en la boca
Con la profundidad de cualquier océano
Sin habla tropezaba
Perdió su sentido del gusto
Por todo excepto por mí

Lo envié a una foresta
De agujas de pino
Donde agujerearon su piel
Todo el día
Toda la noche
Sin tregua alguna posible

Reducido para siempre a bordar
Con ramitas y hojas y pedacitos de tierra
Las joyas de nuestra felicidad anticipada
Que tu míseramente negaste
Hombre mezquino

A ti
Te doy las Furias

And made him deaf
While I played Mozart on the piano all day long

His blindness I upheld
I gouged his eyes
His sight became
The only light the color of my skin

His mouth I kissed
As deep as any ocean
He floundered speechless
And lost his sense of taste
For anything but me

I sent him to a forest
Of pine needles
Where they pricked his skin
All day
All night
And no respite in sight

Reduced forever to embroider
With twigs and leaves and bits of earth
The jewels of our anticipated happiness
That you miserly withheld
Ungenerous man

To you
I give the Furies

Junto con la diosa Némesis
Ellas sostendrán mi maldición
Para ti sufrimiento sin límite
Mientras yo segura me paseo
Con botas de cuero español a prueba de agua
Mis pies cómodamente secos
Mi ropa destinada para ti
La blusa de puro hilo blanco
El jubón de seda negra pegajosa
Convertidos en la magnífica y majestuosa gracia
De un busto saludable e imponente
De mujer viva para toda la eternidad.

Along with Goddess Nemesis
They will uphold my curse
For you unbounded suffering
While I securely stroll
With rainproof boots of Spanish leather
My feet in comfort dry
My garments meant for you
The blouse of pure white linen
The strapless top of clinging black silk
Become the magnificent and royal grace
Of a healthy, awesome bust
Of a woman alive for all eternity.

El egoísta

Realmente considero el poema encantador
dijo el egoísta
después que sin compasión lo zurré
Bueno,
Por ser tan egoísta

No lo nombré
El se nombró
No obstante tanta imagen reflejada
quería saber con certeza
que el texto sobre el egoísta era realmente sobre él

¿Por qué me llega un hálito de que se trata de un mensaje
sobre mí?
¿Porque soy tan egoísta?
¿O está ahí?
Preguntó

Quizás disfrutó la pela
Tal vez su ego echó vuelo al descubrir que era el sujeto de
un texto
Acaso le gustó la idea de ser notorio
Aún cuando quedó reducido meramente a basura
Tal vez esta encarnación de De Sade
Después de todo prefería a Masoch
Pero como desconocemos sus preferencias
Porque sólo él nos las podría revelar
Sólo podemos decirles:
Así es, le sienta bien la basura a un ser tan irresoluto
¡Que descanse en paz en el basurero!

The Egoist

I think it is truly a lovely poem
said the egoist
after I unmercifully thrashed him
Well,
for being such an egoist

I didn't name him
He named himself
In spite of all the mirror images
he wanted reassurance
that the text about an egoist was actually about himself

Why do I get a whiff of a personal message?
Because I am such an egoist?
Or is it there?
He asked

Perhaps he enjoyed the thrashing
Perhaps his ego soared at being the subject of a text
Perhaps he liked the idea of being notorious
Notwithstanding being reduced to merely trash
Perhaps this incarnation of De Sade
after all preferred Masoch
But since we don't know his preferences
for only he can risk to tell
We can only say to all:
Yes, trash becomes someone so dubious
May he rest in peace among the trash!

Escríbeme una carta agradable

Al principio el egoísta dijo que le gustaba el poema donde
lo zurraba
Luego dijo que le gustaba la secuela donde lo envié al
basurero
Porque quería ser parte de la acción, parece
Era obvio que estaba confundido
Y sólo podía afirmar de nuevo
El nombre demasiado grandilocuente que el mismo se puso
Y así fue que en tiempos modernos
Esta imitación de Narciso
Intentó como pudo darle un viraje a mi texto
¿No es la palabra "basura" demasiado fuerte??????????????
Con muchos signos de interrogación preguntó
Destiérrala de tu vocabulario
Ordenó, fingiendo autoridad,
El pobre infeliz, con una falta total de ella

Querido egoísta, la basura se convierte en un suceso
necesario
Cuando poetas deciden habitar el scriptorium de la mente
Imágenes iluminadas desvían la rabia de tu protesta
Ni Masoch ni De Sade, sostienes
Tal vez con razón
Porque ellos escribieron con sangre
Con sangre buena y saludable de sus venas

Write Me a Nice Letter

First the egoist said he liked the poem where I thrashed
him
Then he said he liked the sequel where I sent him to the
trash
Only to get a piece of the action, it seems
For he was obviously confounded
And could only assert once more
The much too grandiloquent name he gave himself
And so it came to pass that this modern day
Would be Narcissus
Tried as he could to turn my text
Isn't "trash" too strong ??????????????????????????????????
With many question marks he asked
Banish "trash" from your language,
He ordered, feigning authority,
Poor wretch, his utter lack thereof

Dear egoist, trash becomes a necessary occurence
When poets decide to inhabit the scriptorium of the mind
Illuminated images ward of your protestations' wrath
Neither Masoch nor de Sade, you assert
Perhaps reasonably so
For these men wrote in blood
With good healthy blood from their veins

Sus trabajos a pluma reviven su afición a la pasión
Mientras tú, adorable endeble cobarde que eres
No conoces la carne, el deseo o el disfrute
Desdeñas cualquier tipo de vida pasional

Alegas que inventé mi versión de ti
Escríbeme una carta agradable, suplicas
Aquí está, en este papel
Tu versión de mí que ahora dentro de ti
Alegremente, regocijadamente, gozosamente roe el júbilo
oscuro de la venganza.

Their works on ink bring alive their penchant for passion
While you, darling wimp that you are,
Have no carnal knowledge, desire or enjoyment
Any kind of passionate life you disdain

You claim that my you was only within me
Write me a nice letter, you plead
'Tis here, on this sheet of paper
Your me that within you now
Merrily, merrily, merrily gnaws at the dark joy of revenge.

OTRAS SEDUCCIONES
OTHER SEDUCTIONS

La leyenda de la sortija

No llego a poder mostrarte
la sortija en el dedo de mi pie

Se ha convertido ya en material de leyenda

Un hombre se preguntaba si yo sabía
cuán sexy

Otro ofreció fotografiarla

El diente de oro de otro arrojó un rayo de luz
lo suficientemente intenso como para que (la sortija) tuviera
espasmos

Todo el mundo la ha visto
excepto tú

Porque me barres al inconsciente
y una vez desnudo mis pies
olvido todo lo demás

Puede que nunca veas
las ranuritas de pequeñísimas mostacillas rojas
Que sientas el delicioso toque de terciopelo
tan raro como el venado blanco de invierno
El tierno metal no rozará ni arañará tu piel cremosa
-leopardo en brocado caliente babéandose-

The Legend of the Ring

I don't get to show you
my toe ring

It is already the stuff of legend

One man wondered if I knew
how sexy

Another man offered to photograph it

One man's gold tooth flashed a beam
intense enough to make it twitch

Everyone has seen it
except you

For you sweep me into oblivion
and once I bare my feet
I forget everything else

You may never see
the grooves of tiny red sequins
Feel the luscious touch of velvet
rare as the white deer of Winter
Tender metal will not scratch and graze your creamy skin
-a leopard in brocade heat drooling-

Pero ¡créeme!

Este anillo existe sólo para tu placer
para exclusivamente excitarte al punto
de lamer mis cavidades más profundas
hasta que se tornen color morado oscuro
cada uno de mis poros en tenue luz brillando
con la danza de los pájaros
que nos enloquecen
mientras sin tregua
salvajemente
deliriosamente
extáticamente
guardamos la leyenda.

But, trust me!

This ring exists solely for your pleasure
exclusively to arouse you to the point
of licking my innermost cavities
till they turn deep purple
my every pore shimmering
with the dance of birds
that drive us out of mind
as we relentlessly
wildly
deliriously
ecstatically
guard the legend.

Una noche sensual y tatuada

En nuestro imperfecto ademán humano
Nuestras lenguas viajaron más allá del habla

Me hechizaste

En este camino prístino
Florece la felicidad
Crece y retoña en cada rama

Mi piel
Una noche ardiente tatuada
Por el fervor de caracoles
Evoca el salado aroma de las profundidades

Me hechizaste
Intenso, como lamer de olas en la orilla
Sin rumbo dentro de mi alma
El sabor familiar de una guayaba perfecta
Madura, refinada, sin tacha

Quería que probaras
Mi fruta en eclosión
Las escondidas, abundantes joyas
Laboriosamente engendradas por mi atrevimiento

A Sultry Night Tattooed

In our imperfect, human touch
Our tongues went beyond speech

You charmed me

On this pristine road
Bliss flourishes
Grows and blooms on every branch

My skin
A sultry night tattooed
By the fervor of sea shells
Evokes the salty smell of the deep

You charmed me
Intense, as waves lap on the shore
Unchartered in my soul
The taste familiar of a perfect guava
Ripe, refined, flawless

I wanted you to taste
My blooming fruit
The hidden, bounty jewels
Laboriously engendered by my nerve

Para ti
La entrega espectacular
De una foresta en fuego con los colores de otoño

Sin ti
Luché contra la formidable fuerza de la carne
Y enloquecí

La gente perdió el ancla de la gravedad
Revolotearon en el lejano espacio
Sin dirección, indefinibles en paroxismos surrealistas
Bailaban en espirales sinuosidades
Mientras entumecidadas historias que simplemente se
equivocaban
Emergían del fondo de un océano fantástico

Perforando hasta el hueso
El dolor se pensó
Hibisco rojo sangre

En el margen más escarpado de un precipicio
De un paisaje borrascoso bañado por insondable lluvia
La pasión
Tan seductora como el sonido
De ruiseñores en concierto
De campos de espinosas buganvillas
Llamaba.

For you
The spectacular surrender
Of a forest ablaze in the colors of Fall

Without you
I fought the formidable night of the flesh
And went berserk

People lost gravity
Revolved in far away space
Aimless, undefinable in surreal paroxysms
 Danced in spiral convolutions
As numbing stories that were simply wrong
Emerged from the depths of a weird ocean

Piercing to the bone
Pain thought itself
Blood red hibiscus

On the furthermost edge of a cliff
Of a windy landscape swept by fathomless rain
 Passion
Beguiling as the sound
Of nightingales in concert
Huge fields of prickly bougainvillias
Beckoned.

Espíritus

Alimento los espíritus
Con el líquido blanco, limpio, fresco
Que sale de entre mis piernas

Aún cuando pase hambre
Les doy de comer

A veces renuncio
Una copa de vino
Y se la doy a beber

Lamen, mastican las celulas de mi piel dementemente
excitados
Se sacian con mi carne

En unísono
Me aclaman a través de mi peregrinaje hacia el éxtasis

Hago el amor y me tocan
Abrazándome me abrasan
Y yo gimo
Sollozo
Grito
Excitados comparten mis aullidos

Spirits

I nourish the spirits
With the cool, clean, white liquid
That flows from my crotch

Even if I must go hungry
I feed them

Oftentimes I renounce
A glass of wine
So they may clench their thirst

Wild with arousal they lick and chew the cells of my skin
My flesh is satiating to them

The spirits are one with me
They cheer me on the path to ecstasy

I make love and they touch me
As they hug me I burn
And I moan
Sob
Cry
Excited they share my howls

Siempre unidos, como animales en celo, vagamos por esta
bendita tierra
Es bueno nuestro proyecto
Excelente
Deleitoso

Divertidísimo es
Este líquido blanco, limpio, fresco
Vagabundeando, rondando, errante

Luxuriante
Como aroma de fragantes rosas blancas
Finalmente llega a su destino,
El Nilo

Donde,
Tenaz emprendedora que soy,
Me convierto
En la mayor posible rival
De la benemérita reina Cleopatra.

Forever joined, as animals in heat, we roam this blessed
earth
Our project is good
Excellent
Sheer bliss

It is so much fun
This cool, clean, white liquid
Wandering, swerving, roving

Luscious
As the smell of fragrant white roses
It finally reaches its destination,
The Nile

Where,
Tenacious entrepreneur that I am,
I become
the best possible rival
of meritorious Queen Cleopatra.

SECRETOS

Columna reluciente
Dórica
Envuelta en puro blanco, vaporoso
Esconde lunas extáticas
Perfecto escenario para desviaciones
Primera pista para los signos de las constelaciones celestes
Vigila con avidez
Un actor totalmente entregado

¡Ay! ya quisiera yacer entrelazada
Dos cuerpos desnudos dominando el mundo

Osos se ocultan en escondrijos y rendijas listos para el besuqueo
¿Te someterás?
¿Escaparás acaso a unirte al coro de árboles que rinden culto a
Dafne?

Puede que dondequiera brinquen delfines mojados en el abismo
de intestinos ocultos
Lágrimas desmiembran cuerpos en pedazos profusamente
fertilizando campos de trigo
En medio de este reino nutricio, dinosauros se aplican a la mejor
mamada
Gritos ensordecen la noche como sólo los indómitos pueden
vislumbrar

SECRETS

A gleaming column
Doric
Enclosed in pure white sheer
Hides ecstatic moons
The perfect stage for deviance
First clue for the signs of constellations above
Watch eagerly
An actor in utter surrender

Ah! Would I lay entwined
Two naked bodies ruling the world

Bears hide in nooks and crannies ready for smooching
Will you submit?
Run away perhaps to join the choir of trees that worship
Daphne?

Dolphins might just jump all over soaked in the bottomless pit of
intestines occult
Tears tear body parts asunder profusely fertilizing fields of wheat
Amidst this kingdom nutritious, dinosaurs apply themselves to a
best suck
Cries deafen the night as only the untamed can fathom

Coyotes aúllan desafinados, agarran algo vivo y se relamen las
lenguas
Murciélagos en vuelo hipnotizan, animan la bravura que se crece
alas
Gansos emiten graznidos groseros que generan insondable fuerza
Amortajados en sensibilidad loable sapos enormes, pequeños,
guapos, bellísimos, monstruosos, se unen al ancho mundo de
insectos con patas largas, ojos anaranjado rojizo, colores más alla
de la visión, en un concierto más allá de toda comprensión

Lenguas gotean mentiras inéditas, enormes; escarlata, azul añil,
púrpura suntuoso y compiten con la más alborozada de las cintas,
pero con mucha mayor intensidad

Hombres
Mujeres
Despiertan al toque del deseo
No son mentiras malas
Debe poder encontrarse sus lugares secretos

Mientras, un gato salvaje se abanica estrepitosamente porque la
lujuria posee cada árbol, pedacito de tierra, cielo, todo el espacio
de la fiera, abiertamente ancha foresta.

Out of tune coyotes howl, they grab a life and smack their
tongues
Bats in flight mesmerize, enticing courage that grows wings
Geese utter loud, coarse sounds that generate unspeakable
strength
Shrouded in commendable sensitivity frogs large, small,
handsome, gorgeous, monster like, join the wide world of insects
with spindlelegs, orange-red eyes, out of sight colors, in a concert
out of mind

Tongues drip huge lies unedited; crimson, indigo, royal violet and
compete with the most exultant ribbon, yet far more intense

Men
Women
Awake to the touch of desire
Not bad lies
One must find their secret dwellings

Meanwhile, a wild cat boisterously fans itself for lust has taken
over every tree, bit of earth, sky, all the space of the fierce, wide
open forest.

PEQUEÑECES

Todo comenzó con spaguetti bolognesa

Satisfecha con sus dotes culinarias estimó que cualquier confección que inventara le saldría bien

Perejil fresco de hojas lisas, cebollas picadas bien finas, ajo machacado, carne molida, tomates acabados de recoger, pizca de oregano

"No sabe a nada, aguachoso; creía que preparabas spaguetti bolognesa
Repetía lo mismo varias veses durante la comida y elaboraba la queja:
"Quizás las especias no sean apropiadas"

Inexorablemente duro
Estaba muy cansada esa noche y él no tenía idea de lo que le había costado tratar de complacerlo

Su estomago se revolcó
Como pelota de goma hiperactiva daba tumbos a diestra y a siniestra mientras luchaba azarosamente por conciliar el sueño
Al otro día intentó sanarse
Manzanilla, hinojo y menta cada tres horas en punto

LITTLE THINGS

It all started with spaghetti bolognese

She figured she was good enough in the kitchen and whatever
she would come up with would turn out O.K.

Fresh flat leaf parsley, finely chopped onions, minced garlic,
ground beef, freshly picked tomatoes, pinch of oregano

"Tasteless, watery; I thought I was getting spaghetti Bolognese,"
He repeated this many times during the meal, elaborating the
complain:
"Wrong spices, perhaps?"

Inexorably harsh
She had been very tired that evening and he seemed to have no
inkling of her effort to please him

Her stomach turned weird
Like an hyperactive rubber ball it tumbled every which way
while she listlessly struggled for sleep
Next day she nursed herself
Chamomile, fennel and mint every three hours on the hour

"Te enfermaste por estúpida que eres", dijo él
Ella sabía que no fue la comida lo que le hizo daño
Fue sentirse herida

Al principio de la relación sus descripciones de la opulencia
primaveral la había incitado a venir donde él
Desde el purísimo lago un aire de aromática frescura alcanzaba el
margen de la foresta sobrecogida en suaves eclosiones
Ese esplendor sólo podía anticipar un encuentro no meramente
deseable sino ataviado de maravilla

El verano trajo consigo un nuevo tipo de atractivo
"Los arbustos de zarzamora prometen entregar un dulce fruto
este año", decía
Explicaciones precisas, poéticas de los planetas, constelaciones,
estrellas, la luna, toda suerte de variedad de cometas creaban una
sensación de inusitada fantasía
(astrónomo, astrólogo, especialista en física era) (de verdad)

Costeaban, flotaban, mano a mano volaban paseándose felices por
la vía láctea
¡Ah! Cómo le gustaba a ella este estilo de vida

Se había figurado que era un ángel
Sus ojos oblicuos azul claro semejábanse a dibujos de extra
terrestres que de vez en cuando aparecían en publicaciones
dedicadas a los "OVNIS"
Su pelo largo, lacio, dorado acariciaba con ternura sus senos, su
estómago y caderas mientras su miembro se movía dentro de ella

Implacablemente cruel
La dejaba sola hasta el amanecer
Lo anhelaba ardientemente y hecha un ovillo en su desatinado

"Your stupidity made you sick," he said
It was not the food, she knew
It was the hurt

In the beginning of the relationship his descriptions of the
bounty of spring made her want to come to him
Fresh scented air blew earthbound from the pristine lake
engulfing the soft blooming forest
Such splendor could only preclude not just a desirable encounter
but perhaps one clothed in wonder

Summer brought along a new kind of enticement
"Blackberry bushes promise to deliver a very sweet fruit this
year," he said
Precise, poetic explanations of the planets, constellations, stars,
the moon, all sorts of sundry comets created a sense of awesome
fancy
(he was an astronomer, astrologer, specialist in physics) (really)

They coasted, floated, flew hand in hand blissfully cruising the
milky way
Ah! did she like this life style!

She had figured him an Angel
His oblique light blue eyes made him look like depictions of
extra terrestrials that appear some times in "UFO's" publications
Long, golden, flaxen hair caressed tenderly her breasts, her
stomach and thighs as he moved inside of her

Unrelentingly cruel
He left her alone until dawn
Yearning for him in her foolish desire she huddled and coiled

deseo se abrazaba a sí misma del susto porque temía apariciones
frente al cristal desnudo al lado del pequeñísimo lecho
Cuando finalmente aparecía la penetraba en unas pocas, rápidas,
heladas metidas que a nada llegaban (no la tocaba, no la besaba)
No se sorprendía cuando de momento la tiraba a un lado
haciendo muy claro que no quería que se le acercara
Embargada de terror se mantenía tan quieta y rígida como le
fuera posible
Así debe ser estar embalsamada, pensaba, sin escapársele el humor
de su triste situación
Tal vez las momias femeninas no eran otra cosa que mujeres
aterradas

Otras cosas sucedieron
Le gritó cuando le llevó un emparedado que había pedido
porque no quería comérselo en ese lugar
Pequeñeces:
"Perdiste el cuchillo de cocina"
"No te olvides de estregar esa esquina del piso"
"¿Arrastraste hojas secas dentro de la casa?
"Haz la cama, cambia las sábanas"
"Limpia el inodoro, friega la ducha y el lavamanos; no te olvides
de sacar las telas de araña, de limpiar los escondrijos ocultos, la
costra y el óxido"

Escalaba:
"Eres idiota"
"Me distraes"
"Me molestas"
"Eres lenta"

No podía evitarlo

herself into a ball afraid of apparitions in front of the naked glass
next to the tiny bed
When he finally appeared he entered her for a few, quick, icy
thrusts that lead to nothing (not a touch, not a kiss)
She was not surprised when he suddenly tossed her away making
it quite clear that he did not want to be approached
Overcome by gripping fear she laid as still and rigid as she could
This is what embalmment must feel like, she thought, seeing the
humor in her sad predicament
Perhaps female mummies were nothing but terrified women

Many other things happened
He yelled at her when she gave him a sandwich he had requested
because he wanted to eat it elsewhere
Little things
"You lost the cooking knife"
"Be sure to scrub that corner of the floor"
"Did you drag dry leaves into the house?"
"Make the bed, change the sheets"
"Clean the toilet, scrub the shower and the sink; don't forget the
cobwebs and the hidden corners, grime and rust"

Escalated:
"You are silly"
"You distract me"
"You annoy me"
"You are slow"

She could not help herself

Lloró, lloró, lloró
Copiosamente, silenciosamente, y sólo encontró desprecio
Un enorme montón de porquerías entró dentro de su cerebro
Todo se juntó de alguna manera y estalló en enceguecedora luz

ABUSO ABUSO ABUSO ABUSO ABUSO ABUSO ABUSO

Su horrible potencia se las arregló para desbaratar el planeta tierra
mientras como cohete avanzaba por las galaxias hasta finalmente
estallar en una bola de fuego echando horrendas chispas rodando
siniestramente tirando fragmentos dañinos de desperdicios

Catatónica del miedo toda la gente miraba hacia arriba testigos
del inexplicable espectáculo

Un dirigible pequeño anunciaba:
"Sólo otra historia amorosa donde las cosas no salieron bien".

She wept and wept and wept
Copiously, silently, and only found contempt
An enormous pile of junk entered her brain
It somehow came together and detonated blinding light

ABUSE ABUSE ABUSE ABUSE ABUSE ABUSE ABUSE

It's ugly strength managed to split the planet Earth asunder as it
skyrocketed through the galaxies to finally burst in a rolling
gush of fire flashing horrific sparkles as it rolled sinisterly
throwing scattered fragments of destructive refuse

Catatonic with fear the whole world looked above witnessing the
inexplicable spectacle

A tiny blimp announced:
"Just another love story where things did not work out."

Calor

Nos impregnamos con ansia tan fiera como el más
retorcido tapiz donde unicornios en cautiverio compartido
libremente desenfrenadamente hacen el amor

Desnudos
Maravilla reverente
Nos sobrecogen sonidos fantásticos
Nuestros cuerpos jadeantes
Nuestros cuerpos en movimiento
Inefable
Acaloramiento
Placer vigoroso de madera que se abrasa.

HEAT

We impregnated each other with a longing as fierce as the
most convoluted of tapestries where Unicorns in freely
shared captivity outrageously mate

Nude
Awesome
Overcome by weird sounds
The panting of our bodies
The movement of our bodies
Inefable
Heat
The sturdy pleasure of burning wood.

SANGRE
BLOOD

El grito

Hoy me caí
Como fruta madura me despepité
Cada uno de mis órganos vitales estalló fulminantes, luces de
bengala, fuegos artificiales
Como para celebrar el Año Nuevo Chino
No fue mi primera caída
Raspazos en la rodilla, en los codos, labios sangrientos e hilillos
de sangre perversamente adornaron la bicicleta de una niña
desafiante empecinada en no llorar
Así también los dichosos patines de dicha resbalaban creando
vivos y coloridos arabescos ajenos a mi miedo
Como hada danzarina, como enanitos rojos y verdes con ojos
intensamente negros que sorprenden y asustan en el bosque
untuoso, montada y desmontada en mis patines y mi bicicleta,
vertiginoso me poseía un movimiento nuevo, especie inédita y
singular de placer no exento de horror
No había nada que pudiera hacer
A merced del movimiento estaba
Como el caballo
A la vera del camino orondo se paraba en sus patas traseras en
posición tensamente controlada, como un Picasso, como un
Velázquez estilizado, hacia el relincho ensordecedor cuando el
dios Rocinante se iba en trance de profundo contoneo hasta que
esta despavorida humana volaba sobre su cabeza para caer de culo
en el polvoroso suelo
Sangre y golpes a marcarme comenzaban

The Scream

Today I fell
Like an overly ripe fruit pips fell all over the place
All of my vital organs burst explosives, Bengal lights, fireworks
Like celebrating the Chinese New Year.
It was not the first time I fell
My knees and elbows were full of scrapings, bloody lips and tiny
trickles of blood perversely adorned the bicycle of a defiant girl
stubbornly bent on not crying
Just the same, annoyingly, the roller skates happily slipped creating
vivid and colorful arabesques completely out of touch with my
fear
Like a dancing fairy, like red and green dwarfs with intense black
eyes that surprise and frighten in the unctuous woods, whether I
was riding or not riding my bicycle and skates, a new vertiginous
movement possessed me, a singular and unknown species of
pleasure not exempt from horror
There was nothing I could do
I was at the mercy of the movement
Like the horse
Around the bend of the road he proudly stood on his hind legs in
a controlled tense position, like a Picasso, like a stylized Velázquez'
horse, ready for the deafening neigh when the god Rocinante
entered into a profound trance of swing that caused this terrified
human to fly over his head and fall in her arse in the dusty
ground
Blows and blood were beginning to make their mark on me

Hoy me fui de fondo de verdad
Ataques de risa pueriles, llanto rítmico y profundo sin demasiado
contenido
Luego, los gritos
Y la magia se hizo entonces
Mis cuerdas vocales se dilataron en una novísima sensación de
poder, de placer, de un sonido sólo mío, abstracto y seguro que
decía todo lo que me pasaba, lo que me había pasado o estaba por
pasarme
El volumen e intensidad del grito fue un parto
La infinita variedad de lo más humano que conozco
Recordé entonces el grito de los niños y pensé que si estuviera
en mis manos enseñaría a todos los niños y niñas a gritar
A gritar por el gusto de gritar
Les enseñaría a emitir sonidos, toda clase de sonidos –como
pajaritos, insectos, pececitos, como las conversaciónes entre nardos
y azucenas–
Y así, amigas y amigos, finalizo con la aserción de que hay gritos
y hay gritos
Un poema puede ser un grito
Un poema podría incitar a gritar
¿Quieres?

Today I really hit bottom
Uncontrolled silly laughter, profound, rhythmic crying without
too much content
Then the screams
And it was magic
My vocal chords dilated into a novel sensation of power, pleasure,
of a private sound absolutely mine, secure and abstract it spoke
my every experience, present, past and future
The volume and intensity of the scream was a birthing
The most infinite variety of whatever I know to be human
At that point the screams of children came to mind and I thought
that if it were up to me I would teach every girl and every boy
how to scream
To scream just for the fun of it
I would teach them to make sounds, all sort of sounds -like little
birds, insects, fish, like conversations between nards and lilies-
And so, my friends, I end by saying that there are screams and
there are screams
A poem may be a scream
A poem might incite you to scream
Would you like to try?

Rojo sangre

Cuando decidí ser poeta
Las uñas de mis pies se tornaron rojo sangre

Mi pie se arquea orgulloso
Como si posara para una escultura de Rodin

Aún mejor
Pies campesinos grandes, rechonchos
El dedo gordo y el que le sigue se separan
Para sostener un puente

Como el Bósforo
Donde eventos diferentes e improbables hace tiempo que se
besan
Vírgenes etruscas, esposas mitológicas, deslumbrantes mozas y
putas
Y la manera de ser de Ulises

Deseo tus viajes
Deseo tus sufrimientos
¡Cambiemos!
Tú tejes y esperas
Yo navego, combato en guerras, libro batallas contra mis enemigos
y sobrevivo
Ahora las uñas de mis pies comparten tu gloria

Teñidas de ROJO SANGRE.

Blood Red

When I decided to be a poet
My toe nails turned blood red

My foot, proud of itself, is arched
A model for a Rodin sculpture

Better yet
Large, wide, peasant feet
Big toe and second toe part ways
And sustain a bridge

Like the Bosporus,
Where different, unlikely events long kiss
Etruscan maids, wives of myth, dazzling whores and wenches
And Ulysses' ways

I want your travels
I want your suffering
Let's switch
You knit and wait
I sail, wage wars, take part in battles against my enemies and
survive
Now my toe nails share your glory

Blatantly stained BLOOD RED.

Manos

Me enamoré de tu cuerpo negro
Del matiz sin igual de tu piel lisa, sedosa
De tu figura esbelta como árbol saludable y bueno
De tus manos con las huellas coloridas del que pinta cuadros
Asombrado de la audacidad de una mujer que, aunque había
dejado de ser joven, aún clamaba por varón me preguntabas mis
años
Pintabas mujeres amplias
No sabía yo por qué
¿Generosidad acaso?
¿Sutileza?
¿Sensibilidad?
¿O simplemente falta de talento?
No sé qué fue más fuerte, si el deseo o la curiosidad
De alguna manera mi sensación de riesgo disminuyó al punto que
intenté tocarte
Así fue que descubrí que no me querías
Pero mis manos limpias con la ternura de palabras entrelazadas
cuentan
Que dejaste de pintar
Porque fuiste incapaz de tocarme
Mis manos sesgaron las tuyas
De ahí en adelante no pudiste tocar nada más
A nadie más.

HANDS

I fell in love with your black body
With the incomparable hue of your smooth, silky skin
With your svelte presence like a healthy, excellent tree
With your hands with the colored traces of those who paint
pictures
Amazed with the audacity of a woman who while no longer
young still yearned for men you asked my age
You painted ample women
I didn't know why
Generosity perhaps?
Subtleness?
Sensibility?
Or simply lack of talent?
I don't know what was more forceful, desire or curiosity
Somehow my inkling of risk diminished to the point that I tried
to touch you
And so I discovered that you did not love me
But my hands clean with the tenderness of embracing words tell
That you no longer painted
Because you did not care to touch me
My hands severed your hands
From then on you could not touch anything else
No one else.

Cicatrices

Glorifica el pánico aves negras de las pérdidas inevitables
Hambrienta paséate de fiesta en fiesta
Hasta la borrachera bebe sin temor a des-sincronizarte
Es un deleite la vida en las orgías balsámicas donde los lirios
nutren y abonan la alegría
Desde la cima del conocido monte de tantas carencias
Desafía las cicatrices que giran como tulipanes negros para relucir
tu cuerpo

Cicatrices aquí
Cicatrices allá

Con nobleza perentoria
Trozos de berenjenas majestuosas bailan dentro del caldero
hirviente
Profundamente ungidas con excelso aceite que puede tornarse
peligroso
Y así es
Un pedazo de piel se retuerce convertido en encogiditas
frambuesas
Quemazón aguda
Como caer sobre espinosos arrecifes de coral
En un lejano desierto dolor alucinado despega y vuela sobre la
barrera de su propio límite
Alguien indeseable en la cocina puede alborotar los nervios

Scars

Glorify the panic black birds of inevitable loss
Hungry stroll from one party to the other
Drink to satiety not afraid of getting out of sync
Life is bliss in the balsamic orgies where lilies nourish and
increase the joy
Way on top the familiar mountain of so many needs unfulfilled
Defy the scars that like black tulips revolve and turn a shine
around your body

Scars here
Scars there

Peremptory noble
Eggplant slices royally dance in the hot cauldron
Deeply annointed with oil sublime that might turn dangerous
And so it is
A piece of skin writhes appropriating the looks of shrunken
raspberries
A very sharp burn
Like falling over reefs of prickly coral
On a distant desert hallucinated pain takes off and flies over the
barrier of its own limit
Someone undesirable in the kitchen can make one nervous

La madre con el corazón quebrado
Tres vivas llaguitas adornan la punta del labio
Tres granates antiguos
Celebran la huida de la hija

Un tajo en la periferia del seno
¿Un corte innecesario acaso?
¿Descuido, como faltar a una cita por desgano?
¿Puntal, tal vez, de mera sobrevivencia?
Desfachatadamente permanece en su lugar del cuerpo desnudo
Y orondo monta tienda para la seducción atrevida, incitante

El ancho vientre
Caparazón gracioso de tortuga escogido
Sutil la combinación de colores
Se niega a que nadie ni nada lo disminuya
Siquiera aeróbicos de cualquier tipo

Desde los muslos hasta las nalgas felices
Olas tumultuosas
Las estrías insolentes de tanta paridera
Llegan y hablan con la exquisitamente labrada roseta que enmarca
el capullo
Majestuosas luego del denso viaje hacia la fertilidad
Continúan hacia las orillas del suave murmullo de las aguas
Pequeños serenos concentrados mordiscos
La saliva regiamente corona el pezón

El ojo se adelanta hasta el sedoso tapiz del vientre rico e inmenso
Pasos de paloma suavemente se imprimen en la arena
Canutillos las hendiduras deslumbrantes brillan para ocultar la
huella del escalpelo

A Mother with a broken heart
Three vivid sores adorn the tip of her lip
Three antique garnets
Celebrate the daughter's run

A slash in the periphery of the breast
By chance a careless gash?
An accidental oversight, like missing a date for lack of desire?
A stay perhaps of mere survival
Remains blatantly in place the body nude
And proudly sets up camp for a daring, enticing seduction

The belly wide
A graceful carefully chosen tortoise shell
Subtle the blend of colors
Refuses to be diminished by anyone or anything
Not even aerobics of any kind

From thighs to happy buttocks
Tumultuous waves
The sassy stretch marks of births galore
Connect and speak with the exquisitely carved rosette that frames
the bud
Majestic after the voyage dense into fertility
On to the shores of relaxed ripples
Minute steady focused bites
Saliva royally crowns the nipple

The eye moves forward to the silky tapestry of the immense, rich
womb
Steps of dove leave soft imprints on the sand
The slits are dazzling shiny red sequins that hide the rut of the scalpel

179

Mientras
Furiosamente resuenan los golpes
Al son de una sensación inédita
Huellas azules y negras anuncian un púrpura escandaloso
No hay una gota de sangre
Déjenme morir si quiero morir
La marca amantísima delínea mis caderas, vive en el interior de
mis muslos
En carne viva la piel erizada habla lenguas extrañas
Vereda en sombras, bosque frondoso
Hallazgo
De una invención novedosa de la existencia
Días después trazos aún centellean
Conmovidos por este modo de pintar el cuerpo
Petalos y espinas, acendradamente fuera de sí, se agarran
obsesivamente a la teta

(Caen las torres
Pies y piernas a machetazo limpio cortados
Bocas escarlatas de sangre
Ojos de rojo loco
De la cabellera cuelgan
Acendradas tantas víctimas
Jugos vitales
Líquidos de la intimidad
Voraces riachuelos llueven sangre
Entumecidas
Mudas
Ausente de sensación permanecen).

Meanwhile
Lashes furiously resonate
To the rhythm of sensation unedited
Black and blue marks turn shocking purple
Yet not a drop of blood
Let me die if I want to die
The loving brand outlines my hips, dwells on my inner thighs
Open skin bristles and speaks strange tongues
A shadow lane, the leafy wood
Discovery
Of a newfound invention of how to exist
Days gone by marks still glisten
Deeply moved by this mode of body paint
Thorns and petals, completely out of mind, obsessively clutch the breast

(The towers topple
Feet and legs slashed by a wild machete
The mouths are scarlet blood
Out of whack red eyes
From the hair they hang
Without blemish so many victims
Vital juices
Intimate liquids
Engorged streams rain blood
Numb
Speechless
Frozen in time).

II

La sombra de los días lluviosos
Se mueve jubilosa por tu cuerpo
Me recreo, varón de mi corazón,
En el cienpiés que nítidamente cosido cruza audaz tu cadera
izquierda
Puntadas cuidadosas tiernamente acarician los vellos

En la copa más alta del árbol relucen las naranjas
Robusta fantasía de niño que, ya hombre, para alcanzar la fruta
más preciada quiso trepar, hasta la cima trepar

Las quebradizas ramas danzan movidas por el peso de tu cuerpo
Cadencia como la marea seduce
Las ramas se doblegan tu peso encima de ellas
En movimiento se agitan
Emiten sonido preclaro de una sinfonía campestre cuando se
parten en dos, en tres, en pedazos infinitos
Es el poder con que las montas

Globos de oro
Te enceguecen sin amortiguar de la caída el impacto
Chorritos de sangre se deslizan por el hueco abierto anunciando
línea espesa que permanecerá por siempre en ese rincón de tu
carne
Su misión apunta hacia el lugar predilecto
Perfectamente
Como el ojo que se mueve en direcciones que emanan de un
pincel que por doquier abre caminos
La tela nos arrasa con la felicidad de su trabajo

II

The shady hue of rainy days
Moves jubilant across your body
I enjoy, man close to my heart,
The centipede that neatly sewn boldly lies across your left hip
Careful stitches tenderly caress the fuzz

On the uppermost top of the tree oranges glisten
The memory of a sturdy childhood fantasy made a man wish to
climb to the top in order to secure the precious fruit

Brittle, the branches dance moved by the weight of your body
Like high tide the cadence is seductive
The branches bend, subdued, your weigh on top of them
Agitated they move
They let loose the clearest sound of a rural symphony when they
break in two, in three, in fragments infinite
It is the power of your mount

Golden globes
Blind you and do not soften the blow of the fall
Streams of blood glide from the open wound and announce a
thick line that will forever remain in that corner of your flesh
Its mission points to the preferred place
Perfectly
Like the eye that moves in directions that emanate from a brush
that breaks paths everywhere
The picture fills our imagination with the felicity of its work

183

Gracias por esa cicatriz que aún dibuja tu imponente tenacidad
No digo cómo
Obedientemente sigo las instrucciones rendidas.

III

Carnosas, suculentas, salen del lienzo
Una puta robusta de Lautrec
Una plácida dama à la Renoir
Exhiben tatuajes de la modernidad
Cogidas de la mano constituyen una sola formidable mujer
Orgullosas, ostentan cicatrices
Come con pasión desnuda
Voraz como barcarola
En el mejor de los sueños, aroma y visuales de campos de intensas
gardenias
Complacida, como criatura aferrada al pecho materno
Impaciente, se asoma al abismo del deleite
Tan real la excitación ante el éxtasis primario de una verga mayor
Que, cómplice, tenazmente penetra la gruta húmeda donde
empapados de deseo
Alcanzan un delirante coito
Se ensambla una tela permanentemente deliriosa

Está de moda encerar el pubis
Ella se afeitó el suyo
Arde arde arde
Su hombre mira
¿Qué has hecho? con escandalizada sorpresa reacciona
¡Me gustan los vellos!
No impidas el crecimiento precioso
Ella piensa

Thank you for that scar that still outlines your imposing tenacity
I do not say how
Obediently I follow the instructions rendered.

III

Fleshy, succulent, out of the canvas they walk
A sturdy whore by Lautrec
A placid lady à la Renoir
They show off modern tattoos
Hand in hand they become one formidable woman
Proud, scarred
She eats with naked passion
A barcarole voracious
In the best possible dream, the smell and visuals of fields of
gardenias intense
Content, like a baby that clings to the tit
Impatient, into the abyss of delight she peeps
So real the arousal is the primary ecstasy of a major prick
Who, complicit, tenaciously penetrates her humid grotto where
soaked with desire
deliriously they couple
A permanent delirious canvas comes together

It has become stylish to wax the pubis
She shaved hers
It stings stings stings
Her man looks
What have you done? in shock he says
I like the fuzz!
Don't ever stilt the precious growth
She thinks

La cera es para las velas alumbrar el camino del amor
Afeitarse deja puntitos pequeños de cicatrices que no sientan bien
Debo agradecer la espesa foresta que enmarca el lugar del placer

¡Cortadura!
En el mismito puente de la nariz
Se pensó espíritu y su cara chocó bien duro contra la puerta de
cristal
Ahora sabe lo que es ver una serie de estrellas centelleando de día
El no lo podía creer
¡Ni siquiera un traguito, lo juro! lastimeramente trató de
explicarle
Mi alma se convirtió en pájaro, mi cuerpo se quedó quieto
¡Ay!

IV

¡Te conozco!
¡Te recuerdo!
Hace treinta años, dice ella
Eres vieja, dice él
De ninguna manera podría ubicarte en mi juventud

Había querido tocar el piano
En lugar de ello se convirtió en osa
Inmóvil se requedó
Era invierno
El invierno de su descontento
Casi enloqueció
Un día
Se voló

Wax is for candles to light the way of love
Shaving makes little dotted scars that are not nice
Let me be grateful for the forest thick that frames the seat of my
pleasure

Cut!
Right on the bridge of her nose
She thought herself spirit and bumped her face hard on the glass
door
Now she knows what it is like to see a bunch of twinkling stars
during the day
He could not believe it
Not even a drink, I swear! she plaintively tried to explain
My soul turned into a bird, my body remained put
Ouch!

IV

I know you!
I remember you!
Thirty years ago, she said
You are an old woman, he said
No way I can place you from my youth

She had wanted to play piano
And became a bear instead
Immobile she lingered
It was Winter
The Winter of her discontent
It freaked her out
One day
She went off

El cuchillo grande y afilado de cocina sucumbió a las leyes de
gravedad
Se deslizó hacia abajo cortando sobre el segundo dedo de su pie
derecho
Un beso monstruo al lado de la uña pintada con esmalte
"Vampiresa" de Dior
No quiso llamar la atención
Corrió a buscar una curita
La sangre manchó la alfombra blanca
Estregó estregó estregó
La mancha desapareció
Dejó de sangrar
La herida tomaría tiempo en sanar
Soy tan propensa a los accidentes, pensó
Bueno, su madre la llamaba torpe
Así era

El invierno se sale con lo suyo
Tormenta, ventisca helada de nieve
Casi no se ve
Pequeñísimos copos lo cubren todo
Desde el finísimo contorno a través de la ventana
Su nostalgia la abre en dos
Es parcha a la deriva
Quiere volver a su áspera ciudad
Donde hace calor tanto calor siempre calor

Buscó por doquier sus zapatos favoritos
Durante días semanas meses
Incontables pasaron los años
Los zuecos flotan en el mismo lugar donde los había tirado luego
de tantas ampollitas

The big sharp kitchen knife followed the laws of gravity
and came down slashing over the second toe of her right foot
a monster kiss close to the nail polished with Dior's "Vamp"
She did not want to call attention to herself
She ran and looked for a band-aid
The blood stained the white rug
She scrubbed and scrubbed and scrubbed
The stain disappeared
The bleeding stopped
The wound would take a while to heal
I am so very accident prone, she thought
Well, her mother used to call her clumsy
That's how she was

Winter takes its toll
A storm, a windy blizzard
You can barely see
Tiny flakes cover everything up
From the bare bones outline across the window
Her longing cuts her open
A passion fruit asunder
She wants her gritty city back
Where it's warm so very warm always warm

She looked all over for her favorite shoes
Days weeks months,
Zillions of years went by
The clogs float in the same space where she threw them after too
many blisters

MARÍA ARRILLAGA

Ilesa, pies limpios, como niña buena, las cicatrices comienzan a
desaparecer.

V

Somos gente silenciosa
Una bien entonada carcajada oda a la alegría es
Por un instante desaparecen los surcos
Los nidos de sangre alrededor de los cuales
Perturbadas las ranas
Perturbados los pajaritos
Suelen cantar
La fronda se vuelve fuego
Las cicatrices desaparecen
Algunas gozosas crecen

La cicatriz habita ahora la joven escultura de mujer
No todo es placer
El dolor arropa a veces demasiado
Anular el tiempo
El espacio habitado
Todo aquello previamente conocido
Por el bienestar de una vida nueva

Desgreñada estoy
Sin baño
Obsesa
Un lujo el sueño
Advenida soy, al fin, a la gran tribu humana
Sin remedio
Descubro un nuevo júbilo.

Unharmed, her feet clean, like a good child, the little scars begin to disappear.

V

We are silent people
A well modulated burst of laughter is an ode to joy
For an instant the furrows disappear
The nests of blood around which
The frogs perturbed
The little birds perturbed
Usually sing
The foliage is on fire
Scars disappear
Some joyfully grow

The scar inhabits now a young woman like a sculpture
Not everything is pleasure
Sometimes pain wraps around us too much
Efface time
Inhabited space
All we have previously known
For the well being of a new life

Disheveled
Unbathed
Obsessed
Sleep a luxury
I have become at last part of the human tribe
Irremediably
I discover a new sense of joy.

Asesinato en las Galerías de Vicente Van Gogh: Los dibujos

Museo Metropolitano de Arte
Nueva York, 2005

INTROITO

Camino entre miríadas de líneas torcidas, torturadas, de tantos
dibujos extáticos
Ramas de árboles giran en ritmo disonante apuñalando el viento
Un torbellino de nubes locas, el sol intrépido y candente, la
luna majestuosa, el brillo salvaje de las estrellas, demónicos en
sus coloridos suntuosos los cometas se unen todos en danza de
sarabandas maníacas
Haces de heno dorado, pagodas ausentes de lustre abandonadas a
su suerte, sostienen triste desesperanza, desolación
Veleros con tela inquieta erráticos frenéticos se mecen sobre las
turbulentas olas
Velas y olas gimen al unísono lamentando la tristeza de tantas
vidas asesinadas

Es tiempo de ajuste de cuentas
Mi espíritu asciende
El villano
Será asesinado
Asesinaste mi vida
Ahora yo te asesino

Murder in the Vincent Van Gogh Galleries: The Drawings

Metropolitan Museum of Art
New York, 2005

INTROITO

I walk among the myriad twisted, tortured lines of so many
ecstatic drawings
Tree branches whirl in dissonant rhythm and stab the wind
A tempest of clouds gone mad, the burning sun intrepid, the
moon majestic, wild shining stars, comets demonic in their
sumptuous color join together in a dance of manic sarabands
Sheaves of golden hay, tarnished pagodas abandoned to their fate,
hold desolate and bleak despair
Sailboats clothed in unease, erratic, frenziedly rock over
tempestuous waves
Sails and waves wail in unison as they lament the sadness of so
many murdered lives

Time of reckoning
My spirit soars
The villain
Is about to be murdered
You murdered my life
I murder you now

En el instante que vi aquel campesino fornido
Su cuerpo encorvado
Ocupado en trabajo tosco, rudo
Manos agrietadas en faena excesiva
Sosteniendo con veneración una hoz rudimentaria
Surcando la tierra
Fuerte segura la curva de su cuerpo
El arco de la hoz
La media luna de los suecos grandes
Supe
Que esa figura vigorosa era el conjunto de aquellos y aquellas que
aguardaron la hora de ajuste de cuentas por tantos pesares, por
tantas desgracias sufridas

LAMENTACIÓN DE LAS MUJERES

Desnuda, descansa en cuclillas frente al muñón de un árbol
Brazos delgados estoicos sostienen su bien formada cabeza, el ·
pico de la frente preludio a la fiesta que se va desarrollando
Dedos humildes y dignos nos muestran los senos gastados
Fuertes y hermosos aún, desafiantes cuelgan y señalan el
privilegiado espacio entre pies, piernas y caderas levantadas
Por encima de los hombros caminan pedacitos de cabellos
desgreñados
Un festín de tres, son tantos los triángulos que dan forma a
"Tristeza", la mujer, y también la adornan
¿Qué son estas figuras?
¿Quienes son?
¿Acaso la naturaleza constante del sufrimiento humano?

¡Tantas mujeres tristes!

The moment I saw Vincent's robust peasant
Body bent
In rough, rude travail
Hands made coarse in excess toil
In veneration holding a plain, rudimentary hoe
Plowing the soil
Steady, strong, the curve of the body
The arc of the hoe
The half moon shape of the outsized clogs
I knew
That this vigorous figure was the flesh and blood of all who have
Waited to settle the score for so much grief, so many misfortunes
endured

THE WOMEN GRIEVE

Naked, she crouches on a bare tree stump
Thin, stoic arms hold her well shaped head, the peak of her
forehead a prelude to the feast unfolding
Plain, worthy fingers show up the wasted breasts
Strong and lovely, somehow, they hang defiant and point to the
privileged space between feet, legs, uplifted thighs
Down the shoulders, scraggly bits of hair take a walk
A feast of three, so many triangles contribute to give shape to
"Sorrow," the woman, and also adorn her
What are these figures?
Who are they?
The enduring nature of human suffering, perhaps?

So many sorrowful women!

Las que visten ropas de manufactura casera
Cansadas, sus cabezas enterradas en sus manos, se unen ahora a la
mujer desnuda
Al unísono emiten quejidos y lamentanciones
Sus ayes tocan la brisa y se inscriben en el movimiento de una
promesa:
Algún día
Todas las mujeres infelices, abusadas, abandonadas dejarán de sufrir
De pie
Manos libres con recuperada fuerza tocaran los cielos
Nos vengaremos

COMIENZA EL CORRE CORRE

Próximo a ser asesinado
El villano intentó huir
Salvajemente lo perseguí por las galerías
Se esquivó
Trató eludirme y entró dentro de los cuadros

Corre a través de una avenida de álamos
Su cuerpo roza el cuerpo de un hombre que comprende que él
no es su hermano sino un villano en fuga
Salta dentro de un paisaje de abedules descopados
Los árboles descabezados proclaman la enfermedad en su·cabeza
La crueldad y la maldad que lo hacen tan canalla
Le hablan sobre el anudado dolor que él mismo ha amarrado

Un hombre y una mujer a cada lado del marco son figuras mansas
en contacto con la humanidad de todos los que sufren
Las ovejas no serán sacrificadas
Se mueven y simbolizan la resurreción de los humildes

Those clothed in homespun fabric
Weary, heads buried in their hands, join now the naked woman
Together, as one voice, they moan and utter sounds of
lamentation
Their cries touch the breeze and become inscribed in the
movement of a promise:
Some day
All the wretched, abused, abandoned women will stop grieving
They will stand
Hands free made strong again will touch the skies
We shall be avenged

THE RUN BEGINS

About to be murdered
The villain fled
In wild pursuit I followed through the galleries
He dodged
He tried to elude me and went inside the pictures

He runs through an avenue of poplars
His body skirts the body of a man who understands that he is not
his brother but a villain on the run
He leaps into a landscape of pollard birches
The headless trees proclaim the sickness in his head
The cruelty and meanness that make him such a scoundrel
They speak to him about the knotted pain that he has tied

On each side of the frame a woman and a man are humble
figures who stand for the humanity of those who suffer
The sheeps will not be slaughtered
They move and stand for the resurrection of the meek

197

En un jardín invernal
Un pollo solitario anticipa su fin ausente de dignidad
Las ramas torcidas de los árboles se unen a los abedules
descopados como coro de la naturaleza cómplice con el
sufrimiento humano

El sonido de los árboles que protestan su maldad lo incitan a
seguir
Corre
Comienza a sentir el golpe de la angustia que ha causado

Llega hasta un grupo de casas con techo de paja
Piensa que puede esconderse entre las cañas
Entro en el cuadro y lo persigo
Mis saltos, brincos, saltos a la pata coja, alentados por mi dolorido
sentir, tienen suficiente brío como para mantenerlo huyendo
Se las arregla para entrar en una de las casas
Una anciana cose una mortaja
A través de la ventana puede verse un ataúd

VERANO

En un día caluroso de verano
Corre por un pantano
Trabajosamente avanza a través del agua
Las líneas diminutas, innumerables del dibujo rehusan esconderlo
Lo enmarcan como en un baile enérgico de una película de
muñequitos

Huye

Se oculta entre los cerezos florecidos

In a winter garden
A lone chicken anticipates the man's undignified demise
The twisted branches of the trees join the pollard birches and
make up a chorus of nature complicit with the suffering of
humans

The sound of protestations from the trees against his evil ways
edge him on
He runs
He begins to feel the thrust of the anguish he has caused

He comes to a cluster of houses with thatched roofs
He thinks he can hide among the reeds
I come into the picture and pursue him
My skips and leaps and hops, abetted by the pain I feel, are
strong enough to keep him on the move
He manages to go inside one of the houses
An old woman sews a shroud
Through the window a coffin can be seen

SUMMER

On a warm Summer day
He runs across a marsh
He scrambles through the water
The innumerable, minute lines inside the drawing refuse to give
him cover
They frame him as in a spirited dance from a cartoon

He runs

He hides amidst the cherry blossoms

Entre los ricos capullos multicolores
Toma por asalto las viviendas arlesianas súbitamente saliendo
dentro y fuera
Las familias asombradas no logran salir de su sorpresa
El zuavo, resplandeciente en su vistoso uniforme, incrédulo lo
mira de hito en hito
Mientras
El patético villano intenta en vano evadir su suerte

Está muy oscuro
Perseguidora y perseguido entramos dentro del cuadro de la
"Noche Estrellada"
La luna y estrellas giran
Las ramas de los cipreses arden
La pequeña aldea rebosa gente
Todo ello azuza mi pasión por la venganza

Huye

Los molinos de viento cerca de Dordrecht no le brindan asilo
Se vuelven contra él como si fueran dagas, espadas

Perseguido a través de tantos paisajes rurales el malo cree que se
encontrará a salvo en la ciudad

Huye

Ahora se encuentra en los portones de las murallas que dan
acceso a París
Pensó que podría escapar
Pero no sucederá así
Les citoyens se preparan para hacerle frente

Amidst the wealth of the multi colored buds of Summer
He takes by storm the dwellings of the Arlesians making sudden
entries and exits inside and out
The astonished families cannot get over their amazement
The Zouave, sparkling in his bright uniform, stares at him in
disbelief
Meanwhile
The pathetic villain tries hopelessly to evade what is in store for
him

It is very dark
We, the pursuer and the pursued, enter inside the "Starry Night"
The stars and moon gyrate
The branches of the cypresses are in flame
The little village is bursting with people
It all fans my passion for revenge

He runs

Windmills near Dordrecht deny asylum
They turn against him as so many daggers, swords

Pursued through so many country landscapes the rogue thinks he
might find safety in the urb

He flees

He finds himself at the gate of the Paris Ramparts
He thought he could escape
It will not happen
Les citoyens make ready for him

Continúa huyendo
A la entrada del "Moulin de la Galette" se pregunta qué le espera

Se entrega al corre corre

Llega a una covacha adornada de girasoles sembrados al lado de las paredes laterales
Una niña guarda la entrada
¡Cómo quisiera librarse!
La niña toma mi mano y habla:
"No te des por vencida, la fuerza de los niños y los girasoles están contigo y no con él"

Sospecha que no está a salvo
Escapa a Montmajour
Excéntricos se muestran los irregulares montecitos rocosos
Piensa que tal vez pueda esconderse entre las torrecillas de las ruinas
En vano

Durante las cuatro estaciones lo perseguí
Corrió por campiñas heladas
Tropezó con leñadores, forjadores, tejedores, carpinteros
Espantó a los "Comedores de patatas"
Las personas arremolinadas frente al "Banco de empeño" al ver su aspecto de malo se lanzaron contra él

Escapó

Sereno se alza el puente de "Langlois"
La paleta japonesa de Vicente tan exactamente magnífica

He keeps running
At the entrance to the "Moulin de la Galette" he wonders what
lies in store for him

He gives himself to the run

He arrives at a shed adorned by sunflowers growing on the lateral
sides of the walls
A child guards the entrance
How he wishes to be spared!
The child takes my hand and speaks:
"Do not give up, the strength of children and sunflowers will
team with you, not him"

He suspects that he is not safe
He flees to Montmajour
The scraggy rocky heights are off kilter
He thinks he might hide among the turrets of the ruins
To no avail

During four seasons did I pursue him
He fled through frozen fields
He stumbled unto woodsmen and woodswomen, forgers, weavers,
carpenters
He frightened "The Potato Eaters"
The people gathered in front of "The Pawn Shop" perceived his
villainous look and went after him

He escaped

The "Langlois" Bridge stands serene
Vincent's Japanese like palette so exactly stunning

El malo trata de desaparecer bajo el puente
No hay manera
A estas alturas, a la perseguidora se han unido todas las figuras de
los dibujos que reconocen a un villano cuando lo ven

Tropezando llega al hospital de Arles
Corre a través de las galerías de arcos
Se revuelca en el estanque central
Camina pesadamente por entre las jardineras rebosando
anémonas, no me olvides, parietarias, ranúnculos, margaritas,
adelfas
Entre toda esta belleza tres árboles serpentinos anuncian el
desenlace tan esperado

El villano
Será asesinado
Asesinaste mi vida
Ahora te asesinamos

Y ASI FUE

Y llegó el día
El patio cobró vida
Aquellos y aquellas que tanto esperaron para vengar tantos
dolores sufridos se juntaron
Lo persiguieron por cada hueco y escondrijo
Lo agarraron mientras corría pisando flores esplendorosas
Las azadas, las hoces, los picos, las hachas y los suecos se alistaron.
Manos agrietadas en unísono se levantaron para sostener al infeliz.
Picaron, tajaron, cortaron, hachearon todo su cuerpo.
Pisotearon los pedacitos de músculos, huesos, nervios, trozos de carne.
Hasta no quedar nada de él.

The villain tries to disappear beneath the bridge
No way
By now the pursuer has been joined by all the figures in the
drawings that recognize a villain when they see one

He stumbles into the courtyard of the hospital at Arles
He runs through the arcaded galleries
He wallows in the central pond
He stumps through flowerbeds filled with anemones, forget me
nots, wallflowers, ranunculus, daisies, oleander
Amidst all this beauty three serpent trees announce the
denouement so long awaited

The villain
Is about to be murdered
You murdered my life
We murder you now

AND SO IT WAS

This was the day
The courtyard came alive
Those who had waited for so long to avenge all the aches they
had suffered came together
Through every nook and cranny they pursued him
They plucked him out as he ran through the splendor of the flowers
The hoes, the sickles, the clogs made ready. Rough hands made
coarse in excess toil were raised in unison and held his miserable
figure. They hewed, cut and chopped and hacked his body parts.
They stomped all over the bits of muscle, bone, nerves, traces of flesh.
Until there was nothing left of him.

Al final
Mis cómplices me saludaron
Nos saludaron
A todas las personas abandonadas, abusadas, torturadas que tanto
aguantamos en espera del desquite final, del ajuste de cuentas
por tanta agonía infligida, por los tormentos que sin tregua nos
tocaron en suerte

Y así fue

A plena vista lo asesinamos
En las galerías de los dibujos de Vicente Van Gogh
En el Museo Metropolitano de Nueva York
Lo picamos, lo tajamos, lo cortamos, lo hacheamos, lo pisoteamos
Dejó de existir

Al fin camino libre
No he sufrido ningún daño
Escapé impune de este asesinato
El mejor tipo posible de asesinato
Un asesinato cometido en papel.

In the end
My accomplices saluted me
Saluted us
All the abused, abandoned, tortured people who had for so long
endured the wait to settle the score, the final revenge for so much
agony inflicted upon us, for the torments that without respite
were our lot

And so it was

We murdered him in plain sight
In the galleries of the Vincent Van Gogh drawings
At the Metropolitan Museum of Art in New York
Hewed, cut and chopped, hacked and stomped
He is no more

I walk free at last
Unscathed I walk
I got away with murder
The best possible type of murder
A murder committed on paper.